Prévisions

Livre de l'étudiant

Ted Neather

Ian Maun

Isabelle Rodrigues

MGP
INTERNATIONAL

Design: Newton Harris, Saffron Walden, Essex
Illustrations: Angela Lumley
Editor: Alex Bridgland

The authors and publisher would like to acknowledge the following for permission to use photographs and published texts:

Tony Stone Images, Richard Passmore (Photo: Musée d'Orsay, p7); Francoscopie 1993 © Larousse, (Les Week-ends des Français, p8; Les sports des Français, *Gérard Mermet*, p11); Okapi (Ludovic Rey-Robert, p22); Femme Actuelle (La randonnée sportive en montagne, p26; En Sologne sous les tropiques, p34); Center Parcs (Photo: p34); © Milan Presse, Les Clés de L'Actualité (Réussir sa vie, p43; Passeport pour films à 10 balles *Pierrick Béquet*, p100; La radio et les jeunes, p102; La Cinquième, pour le plaisir d'apprendre, p106; Quel cinéma pour demain ? p110); © Phosphore, BAYARD PRESSE (Mes parents ne me laissent pas sortir ! p44; Et vos 16 ans, c'est comment? p51; Mes parents se quittent, p57); © Éditions Glénat (Hallmark cards, p50); Le Point (Couples à temps compté, p66); MATIF, Ali Mobarek (Photo: Bourse, p71); Prisma Presse, L'Essentiel du Management (Comment réussir dans le business du fitness, p76–77); (Gérer un conflit de personnes dans une entreprise, p80); Cosmopolitan (Forme – en avant, marche ! p87); Se Soigner Autrement (La diététique anti-stress, p90); Magazine BIBA (21 raisons d'étre gourmand(e), p94); Magnum Photos, Paul Lowe (Photo: Media at Diana's funeral, p99); le nouvel Observateur, JP Rey (Photo: La solitude du chômeur de fond, p117); France Soir (Quel métier ? Responsable de fast-food, p118; Les nouveaux managers de l'hôtellerie et du tourisme, p119); Restos du cœur (logo, p121); Autrement Dit (Apprentis : les pieds sur terre, p123).

In some cases it has not been possible to trace copyright holders of material reproduced in *Prévisions*. The publisher will be pleased to make the appropriate arrangements with any copyright holders whom it has not been possible to contact at the earliest opportunity.

First published by Mary Glasgow Publications 1998

ISBN 0 7487 2771 X

98 99 00 01 / 10 9 8 7 6 5 4 3 2 1

Mary Glasgow Publications
An imprint of Stanley Thornes (Publishers) Ltd
Ellenborough House, Wellington Street, Cheltenham, GL50 1YW

A catalogue record for this book is available from the British Library.

Printed and bound in Great Britain by Scotprint Ltd., Musselburgh, Scotland.

Contenu

Introduction

Welcome to *Prévisions*. This is the first book of a two-part course leading to A-Level. For students taking AS, *Prévisions* is a complete, stand-alone course. Those going on to A-Level will find all that they need in our second book, *Réalisations*. The two books have been written by a group of experienced A-Level examiners and teachers.

Prévisions is divided into four introductory chapters and six main chapters. Each chapter is structured to give you an overview of a subject, and to enable you to progress to more complex vocabulary and structures. Each focuses on a number of grammatical points and on ways of communicating. The contents pages at the beginning of the book will show you what to expect from each chapter. The activities suggested in the book include solo work, working in pairs and working in a group.

The chapters each contain the following elements:

- **Lectures:** There are four texts in each chapter (two in the introductory chapters) taken from an authentic source. The texts have exercises which will help you to exploit and learn the language that you have just encountered.

- **Point-grammaire:** These sections draw attention to an important grammatical structure which occurs within the text. Examples are given, together with a translation. For a more detailed explanation of the structure, turn to the Grammar section at the end of the book.

- **Pratique de la grammaire:** Here you will find exercises which will reinforce your understanding of the grammar and enable you to add the new points to your store of knowledge.

- **Écoutes:** There are generally three listening texts on cassette (one or two in the introductory chapters). Exercises to aid your understanding are included in the Student's book.

- **Compétences orales et écrites:** In these sections there is an examination of a particular aspect of language use and a number of tasks are given based on the topic of the chapter.

Helpful sections of advice on language-learning and the way to tackle your examinations follow the main chapters in the **Developing study skills** section. These include Listening, Speaking, Reading, Writing, Course work and Dictionary skills.

The **Grammar** section is set out in a clear, tabulated form with examples, explanations and exceptions. There is also a **Glossary** of selected words from the texts and exercises. A dictionary, of course, will enable you to find anything not listed in the Glossary.

Everything in the chapters is reinforced with extra work from the **Teacher's Book**, which contains photocopiable masters of reading texts, the transcripts of the tapes and keys to all the exercises. There are also further listening texts on cassette which can be used in class or for self-study.

Language-learning is an enjoyable and fruitful process, but it also involves much hard work. With *Prévisions* we hope that your work will be enjoyable and successful.

Bonne chance!

Ted Neather   **Ian Maun**   **Isabelle Rodrigues**

La France : Ses villes et sa physionomie

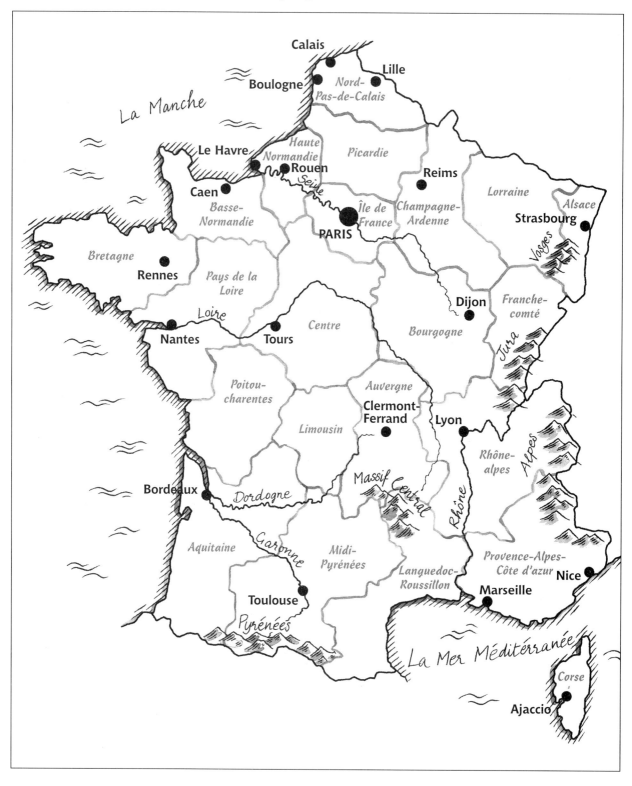

1 Les loisirs et la détente

Contenu

La part accordée au temps libre n'a cessé d'augmenter, et les loisirs ont donc pris une place importante dans notre vie. Du bricolage aux visites culturelles, ils peuvent prendre les formes les plus variées. Cependant, pour beaucoup, les loisirs restent synonymes de sport, sports individuels principalement, car ils combinent détente et plaisir.

Lecture 1

LES WEEK-ENDS DES FRANÇAIS

Les activités pratiquées habituellement par les Français pendant les weekends :

65 % restent à la maison à lire, regarder la télévision, bricoler, écouter de la musique.

39 % sortent au moins une journée, se promènent dans les rues ou à la campagne.

20 % travaillent à la maison (ou ailleurs).

19 % partent à la campagne dans leur résidence secondaire, chez des parents ou amis.

16 % bricolent.

14 % jardinent.

14 % font une «virée», une journée ou plus, en vélo, moto, voiture, train, car.

11 % font des courses.

11 % font du sport, seul ou en club, en salle ou en plein air.

10 % vont au cinéma, au théâtre, au restaurant.

9 % s'occupent de cuisine, réceptions et font des écarts gastronomiques.

8 % vont danser, vivent la nuit.

6 % s'occupent d'eux-mêmes.

6 % font des excursions, des visites culturelles.

3 % visitent des musées ou des expositions.

Vocabulaire

bricoler to do odd jobs/DIY

au moins at least

ailleurs elsewhere

une résidence secondaire second home

une virée a trip

faire un écart gastronomique to go out for a meal, eat differently (e.g. at McDonald's)

1 Voici une liste de phrases décrivant des activités pratiquées par les Français. Reformulez ces phrases en utilisant le verbe **aimer** et **l'article + le nom**.

Exemple :
65% restent à la maison à lire.
Les Français aiment la lecture.

a   Ils restent à la maison à bricoler.
b   Ils se promènent à la campagne.
c   Ils travaillent à la maison.
d   Ils jardinent.
e   Ils visitent des musées.
f   Ils vont danser.

2 En groupe de trois ou quatre, faites un petit sondage pour savoir comment vous occupez votre temps libre. Posez des questions comme :

Et toi, tu aimes rester à la maison ?
Est-ce que tu aimes bricoler ?
Qu'est-ce que tu préfères faire ?

Faites la liste des activités préférées. Comparez ces activités avec celles des Français.

3 Discutez de vos activités favorites et essayez de donner une raison pour ces préférences.

Essayez d'utiliser la structure **Ce que j'aime surtout c'est...** ou **Ce que je préfère c'est... parce que je trouve que...**

Exemple :
Ce que j'aime surtout, c'est rester à la maison et écouter de la musique, parce que je trouve que c'est relaxant.

4 Discutez maintenant des activités (mentionnées dans l'article) que vous n'aimez pas du tout. Dites pourquoi vous n'aimez pas ces activités, en utilisant la structure **Ce que je déteste, c'est... parce que...** ou **Pour moi, il n'y a rien de plus ennuyeux que...**

Exemple :
Ce que je déteste, c'est visiter les musées, parce qu'il n'y a rien d'intéressant à voir.

Point-grammaire . . . .

Le présent

Le présent exprime une action faite au moment où on parle – **J'attends mon ami**, ou une action qui se produit régulièrement – **39 % sortent au moins une journée**.

1 Les verbes réguliers
voir pages 155–156, § 33–34 ➤

La majorité des verbes ont une forme régulière qui se base sur l'infinitif :

65 % **restent** à la maison à lire (rest**er**).
65% stay at home and read.

Les jeunes **attendent** beaucoup de leurs loisirs (attend**re**).
Young people expect a lot out of their leisure activities.

La plupart des Français **choisissent** des sports individuels (chois**ir**).
Most French people choose solo sports.

39 % **sortent** au moins une journée (sort**ir**).
39% go out for at least one day.

2 Les verbes irréguliers
voir pages 169–171 ➤

La forme de certaines verbes doit s'apprendre séparément.

14 % **font** du sport (**faire**).
14% do sport.

10 % **vont** au cinéma (**aller**).
10% go to the cinema.

Aujourd'hui, de nouveaux sports **prennent** le relais (**prendre**).
Today, new sports are taking over.

Pratique de la grammaire . . . .

Le présent

1 Écrivez la forme du verbe qui convient.

   a En général, les Français rest...... à la maison.
   b Nous écout...... de la musique.
   c Est-ce que vous part...... à la campagne ?
   d Le Français moyen sor...... une fois par semaine.
   e Le tennis arriv...... largement en tête des sports aujourd'hui.

2 Complétez les phrases avec le présent d'un verbe qui convient. Voir la sélection en-dessous.

   a Les Français .... une large gamme de sports.
   b Le nombre d'adhérents de la voile .... chaque année.
   c Les médias .... un rôle important dans la popularité des sports.
   d On .... beaucoup d'adhérents des sports collectifs.
   e Le Français moyen .... pratiquer un sport individuel.

| trouver | pratiquer | jouer | augmenter | préférer |

Les sports des Français

Les sports individuels sont plus développés que les sports collectifs

Aujourd'hui plus d'un Français sur trois pratique un sport individuel, un sur quinze seulement pratique un sport collectif.

S'il reste le premier en nombre d'adhérents, le football n'arrive qu'à la septième place des sports les plus pratiqués. On compte beaucoup plus de pratiquants de tennis, de ski ou de judo que de rugby ou de hand-ball.

La voile, après un développement spectaculaire dès la fin des années 70, connaît une régression presque aussi rapide : les Français n'ont acheté que 200 000 planches à voile neuves en 1991 contre près d'un million en 1987.

Mais de nouvelles modes ont pris le relais. Le golf, le parapente, l'escalade, le base-ball, le vol libre, le VTT, les sports acrobatiques ou le ski nautique ont augmenté le nombre de leurs adhérents de façon significative. Ainsi le nombre des pratiquants de l'escalade a presque triplé depuis 1985.

Les médias ont joué un rôle essentiel dans la création et l'entretien de ces mouvements de mode.

Vocabulaire

les sports collectifs team sports

un adhérent a player, a follower

un pratiquant a player

une régression a decrease, a drop

prendre le relais to take over

1 Dites si les phrases suivantes sont vraies ou fausses.

   a La majorité des Français préfèrent pratiquer un sport d'équipe.

   b Le football reste le sport collectif le plus pratiqué en France.

   c On achète beaucoup moins de planches à voile actuellement qu'il y a 20 ans.

   d L'escalade est un sport de plus en plus prisé par les Français.

   e Dans le choix du sport qu'ils pratiquent, les gens ne se laissent pas influencer par les médias.

2 Voici la description de certains sports mentionnés dans cet article. Retrouvez le nom du sport décrit ci-dessous.

   a C'est un sport qui consiste à grimper, à faire l'ascension d'une paroi très raide.

   b Comme pour le parachutisme, il faut sauter d'un avion mais il faut tenir dans l'air le plus longtemps possible avant d'ouvrir son parachute.

   c Il permet de se rendre à vélo dans les terrains les plus accidentés.

   d Accroché à de grandes ailes, on s'élance et on plane comme un oiseau.

3 Examinez les exemples **a–d** en-dessous puis traduisez les phrases **i–iv** en fonction des exemples que vous avez lus.

   a Un Français sur trois pratique un sport individuel.
One out of three French people practises a non-team sport.

   b Le football n'arrive qu'à la septième place.
Football comes in only seventh place.

   c La voile connaît une régression.
Numbers for sailing are decreasing.

   d Certains sports ont augmenté le nombre de leurs adhérents.
Some sports have increased the number of their followers.

   i *Two out of three French people practise a team sport.*

   ii *Handball comes in only sixth place.*

   iii *Numbers for water-skiing are decreasing.*

   iv *Rugby has increased its number of followers.*

Écoute 1

Interview avec Vincent – les sports individuels

Voici une interview avec Vincent, qui fait une formation de Professeur de Sport. Il parle des sports individuels. Écoutez la première partie de cette interview.

1 ⬤⬤ Remplissez les blancs avec le mot utilisé par Vincent.

a des activités .... de pleine nature

b des sports d'............ comme le VTT

c des sports qui ne sont pas .... à tous

d c'est vraiment .... encore à une certaine catégorie de personnes

e moi, j'ai fait un stage de ....

f ils ont fait .... pendant toute l'année

2 Voilà une sélection de sports. Faites deux listes selon si vous croyez qu'un sport est plutôt sport individuel ou activité physique de pleine nature.

Exemple :

Sport individuel	Activité physique de pleine nature
le golf	*la randonnée pédestre*

le parapente	le ski nautique	le rafting
la planche à voile	le vol libre	le ski
l'escalade	la randonnée pédestre	le VTT
la voile	le tennis	
le surf	le golf	

Écoute 2

Interview avec Vincent – le sport à l'école

Écoutez la deuxième partie de l'interview avec Vincent. Il parle du sport à l'école.

1 ⬤⬤ Complétez les phrases suivantes :

a Vincent n'a pas l'impression que l'école ....

b Pour le sport, ce n'est pas l'école qui est importante, mais ....

c Au collège, on commence à ....

d Les élèves du lycée trouvent que le sport ....

2 Avec un(e) partenaire :

a Parlez de votre propre expérience du sport à l'école primaire et à l'école secondaire.

b Comparez votre expérience avec l'expérience de Vincent à l'école.

c Tirez des conclusions sur le rôle du sport dans l'école anglaise et l'école française.

Compétences orales et écrites . . . .

Exprimer des goûts et des préférences

Relisez *Les sports des Français* à la page 11. Selon vos goûts, faites une liste des sports mentionnés par ordre de préférence. Essayez d'expliquer cet ordre, en utilisant certaines des expressions suivantes :

- Pour moi, l'essentiel c'est de… + *infinitif*
- **A** est plus exigeant que **B**
- **C** est moins intéressant que **D**
- Il me fait plaisir de… + *infinitif*
- **E** est trop difficile
- **F** est trop coûteux
- Je n'ai jamais pratiqué **G**

2 Vacances et tourisme

Contenu

 Les vacances. Qu'est-ce que ce mot suggère pour vous ? Des randonnées ? Des grands voyages ? Une plage ? Pour chacun, le choix est différent. Les articles suivants proposent la détente en Tunisie ou des activités sportives en montagne ou des journées à la plage. Vous entendrez aussi des publicités-radio et une conversation concernant des vacances. Tous ces extraits vous donneront une idée de la variété de sens que recouvre ce mot magique – Vacances !

Détente en Tunisie

CLUB AQUARIUS

Situé sur la presqu'île du Cap Bon au milieu de jardins aux senteurs de jasmin, au bord de plages immenses, le Club Aquarius de Nabeul vous convie à la détente en famille. Vous serez logés dans des bungalows de deux ou trois lits équipés d'une salle de bains ou d'une salle de douche avec toilettes. Les sportifs pourront s'adonner à la planche à voile, le tir à l'arc ou le tennis alors que les amateurs de farniente auront tout loisir de se reposer autour de la piscine. Diverses excursions sont proposées sur place.
A partir de 2 800F.

1 Prenez des notes sur les détails demandés sur le Club Aquarius.

Exemple :
Position : au milieu de jardins

Hébergement :
Facilités dans les chambres :
Possibilités sportives :
Autres possibilités :

2 Cherchez dans votre dictionnaire le sens des mots suivants :

- la presqu'île
- la détente
- s'adonner à
- le farniente

3 Discutez avec un partenaire ce qui vous attire et ce que vous n'aimez pas dans cette courte description.

- visiter la Tunisie ?
- le site ?
- les alentours ?
- les sports ?
- la piscine ?
- le temps ensoleillé ?
- la possibilité d'excursions ?

Les Deux Alpes

L'été blanc, bleu, vert

Pourquoi pas vos vacances aux Deux Alpes cet été ? D'abord vous ferez du ski, c'est facile de 2 800 mètres à 3 600 mètres d'altitude sur le plus grand glacier skiable d'Europe. Mais vous pourrez faire aussi du tennis, du golf, du nautisme, de l'escalade, du parapente, du rafting, du VTT, du quad… et tout cela avec vos enfants dont le programme comprend pour les 6 à 12 ans, des stages en escalade, la montagne, de la magie, du modern-jazz et pour les ados des sorties de VTT, des stages de golf, de ski et des remises de prix. En soirée dîner dans l'un des nombreux restaurants, piano bar et discothèque…

1 Écrivez une liste de tous les sports mentionnés dans ce texte.

2 Voilà deux phrases du texte au temps futur.

Vous ferez du ski.
Vous pourrez faire aussi du tennis.

Maintenant, construisez des phrases sur la même modèle en utilisant les éléments ci-dessous.

Exemple : Je… du tennis… du golf.
Réponse : Je ferai du tennis et je pourrai faire aussi du golf.

a Vous .... du nautisme .... du golf.
b Tu .... du parapente .... du rafting.
c Les enfants .... des stages en escalade .... des sorties de VTT.
d Nous .... de l'escalade .... du VTT.

3 Étudiez la façon dont on essaie de vous persuader, par exemple :

Pourquoi pas .... ?
D'abord vous ferez ....
Mais vous pourrez aussi ....
… et tout cela ....

Maintenant, parlez avec un(e) partenaire et utilisez les mêmes phrases pour le/la persuader de vous accompagner en vacances – ou en Tunisie, comme dans le premier texte, ou ailleurs, si vous avez d'autres idées.

Point-grammaire . . . .

Le futur voir pages 157–158, § 37–38

Le futur sert à expliquer des actions à venir.

Vous serez logés dans des bungalows.
You will be put up in bungalows.

Les sportifs pourront s'adonner à la planche à voile.
People who are keen on sport will be able to spend their time wind-surfing.

Les amateurs de farniente auront tout loisir de se reposer.
Those who like doing nothing will have plenty of leisure time to relax.

Vous ferez du ski.
You will go skiing.

Vous pourrez faire aussi du tennis.
You will also play tennis.

Pratique de la grammaire . . . .

Le futur

1 Regardez encore une fois les *Lectures 1* et *2*. Il y a dans ces textes des exemples de verbes au futur (ci-dessus). Refaites chacune de ces phrases en écrivant **je** à la place du **sujet du verbe** :

Exemple :
Vous serez logés dans des bungalows.
Je serai logé(e) dans un bungalow.

a Les sportifs pourront s'adonner à la planche à voile.
b Les amateurs de farniente auront tout loisir de se reposer.
c D'abord vous ferez du ski.
d Vous pourrez faire aussi du tennis.

2 Regardez encore une fois la *Lecture 2* intitulée *Les Deux Alpes*. Imaginez que vous allez partir en vacances aux Deux Alpes avec un groupe d'amis. Écrivez un paragraphe au temps futur qui explique vos projets ensemble.

   – un jour s'il fait beau, nous irons…, nous ferons…
   – et puis nous aurons…, nous serons…
   – si tout va bien nous pourrons…

3 Utilisez le paragraphe que vous avez écrit pour parler de ces projets avec un partenaire. Expliquez vos intentions à votre partenaire et écoutez les siennes.

4 Écrivez une lettre de 100 mots à l'Office de Tourisme des Deux Alpes. Vous trouverez une lettre modèle à la page suivante.

a Faites référence à cette publicité.
b Dites ce qui vous intéresse surtout.
c Demandez des détails sur l'hébergement.
d Dites combien vous serez dans votre groupe et à quelle date vous vous intéressez.

Lettre modèle

```
Mlle Eugénie Dufour
12, rue du Vieux Manoir
14291 Arbec

233-31-47-79
                        M. Le Directeur
                        Syndicat d'Initiative
                        Place de la Résistance
                        29000 Quimper

                        Arbec, le 12 mai

Objet : Demande de renseignements

    Monsieur,

        Dans le cadre d'un tour des
départements de la Bretagne, je compte
visiter le Finistère au mois de juillet. Je
vous saurais donc gré de bien vouloir me
faire parvenir dans les plus bref délais une
liste des hôtels de Quimper, ainsi que des
dépliants sur la ville et ses environs.

        Au cas où vous pourriez y joindre des
brochures sur les monuments préhistoriques,
tels que ceux de Carnac, je vous serais bien
reconnaissante.

        Dans l'attente de vous lire, veuillez
agréer, Monsieur, l'expression de mes
sentiments distingués.

                        Eugénie Dufour
                        Eugénie Dufour
```

Pour écrire une lettre formelle :

Écrivez l'adresse du destinataire en haut à droite.

Écrivez la date en haut à droite.

Objet : With reference to:

Monsieur Dear Sir

Madame Dear Madame

Je vous saurais gré (de...) I would be grateful (if you ...)

Je vous serais bien reconnaissant(e) (de...) I would be grateful (if you ...)

dans les plus brefs délais as soon as possible

dans l'attente de vous lire I look forward to hearing from you

Pour terminer avec une formule de politesse :

Veuillez agréer, Monsieur, l'expression de mes sentiments distingués Yours faithfully/Yours sincerely

Je vous prie d'agréer, Monsieur, l'expression de mon respectueux dévouement Yours faithfully/Yours sincerely

Écoute 1

Publicités

Vous allez entendre trois publicités-radio concernant les vacances. Lisez d'abord les questions, puis essayez d'y répondre en écoutant chaque publicité.

1 📼 Premier extrait :

a Quel est le nom de la compagnie concernée par cette publicité ?

b Combien coûte le voyage ?

c Qu'est-ce que ce prix comprend ?

2 📼 Deuxième extrait :

a Quel est le nom de l'hôtel dont on parle ?

b Où est-il situé ?

3 📼 Troisième extrait :

a Qu'est-ce que le magazine *Alpes-Loisirs* a sélectionné pour ses lecteurs ?

b Quel genre d'activités propose-t-il ?

c Où peut-on se procurer ce magazine ?

Projets de vacances – Claire et Florent

Claire et Florent discutent des projets de vacances à la cafétéria du lycée.

1 📼 Regardez les tableaux ci-dessous, puis, en écoutant la cassette essayez de les remplir.

Nom	Occupation en Juillet	Lieu	Date de départ/retour	Lieu	Activité
Claire					

Nom	Occupation en Juillet	Lieu	Dates du séjour	Activité le matin	Activités l'après-midi
Florent					

2 Dites si les phrases suivantes sont vraies ou fausses.

a Claire sera en vacances dans un mois.
b Elle vient de finir ses examens.
c Les premiers jours des vacances, elle dormira beaucoup.
d Elle va travailler pour gagner de l'argent pour ses vacances.
e Tous les ans en été Claire fait du surf avec ses copains.
f Cette année, elle a décidé de s'acheter sa propre planche.
g Florent est très content de travailler en juillet.
h Il sera à l'étranger pendant deux semaines.
i Les activités prévues pour le séjour plaisent à Florent.

3 📼 Voici une série de phrases que vous entendez dans ce dialogue entre Claire et Florent et qui ont été traduites en anglais. Essayez de les traduire en français. Puis, en réécoutant le dialogue, vérifiez votre traduction.

a What are you going to do this summer?
b I shall save up as much as possible.
c We shall stay there until 30 August.
d I shall borrow one to start with.
e Don't mention it!
f We shall have classes every morning from 9am to 1pm.
g I shall have better marks than you.

3 Le sport

Contenu

 Le sport offre à tout le monde un grand choix de possibilités. Pour certains individus, handicappés peut-être, le sport peut même redonner un sens à la vie. D'autres trouvent de réels plaisirs dans des sports simples tels que la marche. D'autres encore sont assez doués pour penser aux possibilités d'une carriere sportive. Vous trouverez dans ce chapitre des exemples de toutes ces possibilités.

Il a décroché deux médailles d'or en ski assis aux derniers Jeux Olympiques de Lillehammer. Ludovic Rey-Robert, amputé des deux jambes à l'âge de 16 ans, est un homme plein d'enthousiasme, un fou de la vie. A partir du 18 septembre, il tente une nouvelle aventure : le tour de Corse en jet-ski.

LUDOVIC REY-ROBERT

Okapi : **Votre vie a basculé, un jour de septembre 1981. Que s'est-il passé ce jour-là ?**

Ludovic Rey-Robert : Je suis né le 4 octobre 1965, mais le jour de mon accident, le 21 septembre 1981, est pour moi comme une nouvelle naissance. Ce jour-là en voulant prendre un train en marche, j'ai raté le marchepied et je suis tombé sous les roues du train. J'avais 16 ans. A partir de ce jour j'ai dû apprendre à dompter un fauteuil roulant, à apprivoiser le regard des gens, à être patient. J'ai dû aussi décider de ce que j'allais faire de ma vie. Je n'étais pas mort, j'avais donc des choses à réaliser, à prouver. Je me suis dit : "Tout ce que j'ai perdu en bas, je vais le récupérer en haut, en plus fort."

Le jour de mon accident est pour moi comme une nouvelle naissance.

Okapi : **Étiez-vous sportif avant votre accident ?**

Ludovic Rey-Robert : J'ai toujours été très sportif : je faisais du rugby, de la natation, du football, du judo. Après mon accident, je suis repassé par le sport pour m'en sortir. Petit à petit en natation je suis arrivé à atteindre au niveau international, et j'ai pensé que j'avais mes chances aux Jeux Olympiques. Malheureusement, je n'ai pas été sélectionné aux Jeux de 1984. J'en ai pleuré. Les J.O. étaient un rêve d'enfant. Pour prendre ma revanche, j'ai visé les Jeux de 1988. Mais je me suis cassé l'épaule un mois avant…

Les J.O. étaient un rêve d'enfant.

Okapi : **Mais vous êtes allé aux J.O. de 1992. Là on vous retrouve au ski alpin. Comment êtes-vous arrivé au ski ?**

Ludovic Rey-Robert : En 1986 j'ai essayé un engin de ski de compétition qui arrivait d'Europe du Nord. J'étais un peu kamikazé et on me faisait tester toutes les nouveautés ! Un an plus tard, à la première compétition de ski assis en France, je suis arrivé premier en descente et premier en slalom géant. Je me suis dit alors que j'arriverais peut-être aux Jeux Olympiques par le ski. Aux J.O. de 1992, j'ai décroché une médaille de bronze en descente, et à Lillehammer, en 1994, deux médailles d'or en descente et en slalom.

Okapi : **Que faites-vous dans la vie, en dehors du sport ?**

Ludovic Rey-Robert : Je travaille à la Poste. Je me déplace aussi le plus souvent possible dans des classes, à la rencontre des jeunes. Je leur explique combien c'est important de regarder avant de traverser la rue en sortant du collège, ou de marcher à gauche, face aux voitures, le long d'une route pour éviter les accidents. J'ai l'impression qu'ils m'écoutent.

Vocabulaire

décrocher to win, to pick up

tenter to attempt

basculer to undergo a dramatic change

dompter to tame, to control

un fauteuil roulant a wheelchair

apprivoiser to tame, to manage

atteindre to attain, to reach

se déplacer to get about

à la rencontre des jeunes meeting young people

1 Trouvez dans le texte dix expressions temporelles, c'est-à-dire celles qui se réfèrent au temps.

Exemples :
À partir du 18 septembre
ce jour-là

2 Retracez les étapes de la vie de Ludovic Rey-Robert en remplisssant le tableau ci-dessous avec une phrase complète.

Exemple :
1965   Il est né le 4 octobre 1965

a	**Sports pratiqués jusqu'en 1981**	
b	**En 1981** **Causes** **Conséquences**	
c	**Sports pratiqués** **de 1981 à 1994**	
d	**Résultats aux J.O. 1984**	
e	**Résultats aux J.O. 1988**	
f	**Résultats aux J.O. 1992**	
g	**Résultats à Lillehammer**	

3 Maintenant, faites un reportage continu sur la vie de Ludovic, en réécrivant le passage suivant à la troisième personne du verbe (il...).

Exemple :
J'ai raté le marchepied d'un train et **je suis tombé** sous les roues d'un train.
Il a raté le marchepied d'un train et **il est tombé** sous les roues d'un train.

Je suis né le 4 octobre 1965. J'ai eu un terrible accident le 21 septembre 1981. J'ai raté le marchepied d'un train et je suis tombé sous les roues. J'ai dû apprendre à me déplacer en fauteuil roulant. J'ai été obligé aussi de décider ce que j'allais faire de ma vie. Donc, après mon accident, je suis repassé par le sport pour m'en sortir. Petit à petit, je suis arrivé à atteindre au niveau international, mais, malheureusement, je n'ai pas été sélectionné pour les Jeux Olympiques de 1984. En 1986, j'ai essayé le ski assis pour la première fois, et en 1992 j'ai décroché une médaille de bronze aux Jeux Olympiques.

Point-grammaire . . . .

Le passé composé voir pages 159–161, § 43–48

Le passé composé exprime une action qui s'est accomplie au passé. L'action dont on parle est terminée. Le passé composé utilise comme verbe auxiliaire soit **avoir**, soit **être** :

J'**ai raté** le marchepied.
I missed the step.

Je **suis tombé** sous les roues.
I fell under the wheels.

Je **me suis cassé** l'épaule six mois avant.
I broke my shoulder six months before.

Pratique de la grammaire . . . .

Le passé composé

1 Réécrivez le paragraphe ci-dessous en remplaçant le premier mot **Aujourd'hui** par **Hier**, et mettez les verbes (en caractères gras) au passé composé.
N.B. Cette lettre est écrite par une fille : Stéphanie.

Aujourd'hui **je me lève** à 6h30 pour aller au lycée à pied. **Je pars** de chez moi à 8h et **je ne rentre** que vers 7h. A cette heure-là, **ma mère vient** me chercher en voiture. Quelle journée fatigante ! Le pire c'est que lorsque **j'arrive** chez moi, **je monte** tout droit dans ma chambre pour faire mes devoirs. **Je ne me couche pas** avant 11h. Ça recommence comme l'année dernière. Depuis le début de l'année, **je ne sors jamais** avec mes amis. **Je reste** tous les soirs penchée sur mon travail. Je pense parfois que **je deviens** une machine ! J'en ai vraiment assez.

2 Reconstituez la journée de Monsieur Durand à partir de ce que vous lisez dans son agenda à la date d'hier.

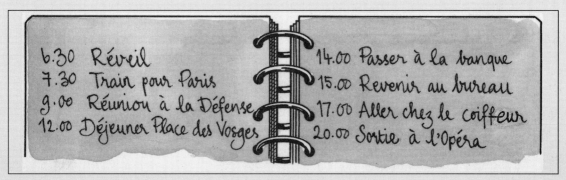

6.30 Réveil
7.30 Train pour Paris
9.00 Réunion à la Défense
12.00 Déjeuner Place des Vosges
14.00 Passer à la banque
15.00 Revenir au bureau
17.00 Aller chez le coiffeur
20.00 Sortie à l'Opéra

Exemple : Hier, Monsieur Durand s'est réveillé à 6h30.

3 Relisez la *Lecture 1*, puis traduisez les phrases suivantes en utilisant l'auxiliaire **être** ou l'auxiliaire **avoir**, comme il convient.

 a What happened that day?
 b I was born on 4th October 1981.
 c He fell under a train.
 d He had to learn how to live in a wheelchair.
 e I thought that I had a chance.
 f Did you break your shoulder?
 g He did not cry.

La randonnée sportive en montagne

Vive l'air et la marche à pied ! Loin de la pollution et du bruit, quel plaisir de partir à l'assaut des montagnes. Une expérience inoubliable, à condition toutefois de s'y préparer sérieusement !

Les 6 principes de base

1 Ne partez jamais seule, même si vous connaissez parfaitement le chemin. A deux, en famille ou en groupe, c'est moins risqué et plus agréable.

2 Prévoyez votre randonnée – de quelques heures à plusieurs journées – suivant votre forme physique et le temps dont vous disposez. Établissez vos haltes à l'avance : le repos, le ravitaillement, éventuellement l'hébergement. Vous trouverez en pleine montagne des gîtes ou des refuges pour vous reposer.

3 Suivez les sentiers de grande randonnée. Vous les reconnaîtrez aux marques rouge et blanche – rouge et jaune pour les sentiers de pays – placées à portée des yeux sur les arbres et les rochers. En cas d'hésitation, fiez-vous aux cairns. Ce mot d'origine irlandaise désigne un petit tas de cailloux réalisé par un randonneur pour se repérer. Tel le Petit Poucet, vous éviterez les erreurs de parcours.

4 Établissez votre itinéraire. A l'aide d'une carte, étudiez distances, obstacles à franchir, dénivelés. Et surtout le relief du terrain indiqué par des courbes de niveaux. Ces lignes sinueuses, rouges ou brunes, relient entre elles les points situés à même altitude.

5 Souvenez-vous qu'en montagne la distance ne signifie rien. Vous mettrez trois fois plus de temps à effectuer une descente suivie d'une montée qu'en marchant sur un terrain plat. Vous serez également trois fois plus fatigués.

6 Restez prudente, même sur les sentiers balisés. Ne montez jamais sur une barre rocheuse sans être certaine de pouvoir, au retour, la redescendre. Méfiez-vous surtout par temps de pluies, des pentes d'herbe lisse. Faites attention aux névés. Ces zones de neige – fondant ou durcissant en fonction de la chaleur ambiante – sont glissantes soir et matin. A midi, elles fondent et les pieds s'y enfoncent exactement comme si vous marchiez dans un sorbet !

Vocabulaire

inoubliable unforgettable	**le tas** pile, heap
agréable pleasant	**éviter** to avoid
prévoir to plan	**franchir** to cross
le ravitaillement refreshment	**prudent** careful, cautious
éventuellement possibly	**fondre** to melt
le sentier path	**durcir** to harden

Point-grammaire . . . .

L'impératif voir page 156, § 35

L'impératif exprime une instruction ou un commandement. Il se base sur la forme de la deuxième personne du verbe (**vous**).

Rester – vous **restez**
Restez prudente.
Remain cautious.

Établir – vous **établissez**
Établissez votre itinéraire.
Establish your route.

Prévoir – vous **prévoyez**
Prévoyez votre randonnée.
Plan your walk.

Se **souvenir** – vous vous **souvenez**
Souvenez-vous qu'en montagne la distance ne signifie rien.
Remember that in the mountains distance has no meaning.

Pratique de la grammaire . . . .

L'impératif

1 Remplacez cette liste de conseils par des instructions. Utilisez la forme de l'impératif.

Exemple :
Il est conseillé de **partir** à deux
Partez à deux

Il est conseillé de…

a téléphoner à l'auberge de jeunesse avant de partir
b partir de bonne heure
c suivre les sentiers de grande randonnée
d porter un sac léger
e mettre une boussole dans le sac
f faire attention au temps qu'il fait
g établir à l'avance les haltes
h bien manger (N.B. ………… bien)
i boire souvent
j se reposer régulièrement

2 Maintenant prenez les instructions ci-dessus et remplacez tous les verbes à l'impératif par une locution plus nuancée comme :

Il vaut mieux… + *infinitif*
Il est préférable de… + *infinitif*
Il faut toujours… + *infinitif*

Exemple :
Prévoyez votre randonnée
Il faut toujours prévoir votre randonnée

3 La *Lecture 2* donne des conseils pour éviter les dangers que comporte une randonnée en montagne. Faites-en la liste.

Exemples :
– obstacles à franchir
– le relief du terrain

4 Travaillez avec un(e) partenaire. Chaque partenaire choisit une des cartes ci-dessous. Expliquez à votre partenaire pourquoi vous voulez visiter cette région.

Utilisez les expressions suivantes :

Je voudrais voir…
Vous avez la possibilité de… + *infinitif*
On pourrait… + *infinitif*
… est vraiment magnifique
Si vous aimez le sport, vous pouvez… + *infinitif*
Si vous voulez vous reposer, vous pouvez… + *infinitif*

Écoute 1

Interview avec Vincent – sa carrière sportive

**Écoutez cette interview avec Vincent.
Il parle de sa carrière sportive.**

1 📼 Faites une liste de tous les sports mentionnés par Vincent au cours de cette interview.

2 Pour chacun des mots ci-dessous, écrivez une phrase pour donner une explication de ce que Vincent nous raconte au sujet de son intérêt pour le tennis.

Exemple : Commencement ?
Il a commencé à jouer avec son père à l'âge de 10 ans.

a Entraînement ?
b Compétition ?
c Champion ?
d Progrès de 12 à 15 ans ?

3 📼 Écoutez une deuxième fois la section de l'interview où Vincent parle de son expérience en Faculté de Sport. Puis, remplissez les blancs dans le texte suivant avec le participe du passé.

Mais c'est sûr que comme moi, je ne faisais qu'un seul sport, donc, découvrir d'autres, ça m'a tout de suite .... Puis j'ai .... envie d'en faire. Mais disons que j'ai un peu .... parce que, bon, le club était d'un très bon niveau et puis, disons qu'il y a des problèmes financiers et puis moi, une fois que je suis rentré dans ma formation à Rennes, je me suis intéressé aussi à l'enseignement du tennis. J'ai .... à donner des cours, et c'est vrai que quand on commence à donner des cours, euh, on se démotive un peu, on est un peu moins intéressé par la compétition, et puis, bon, ça fait quand même sept ou huit ans que je faisais du tennis et puis j'ai .... besoin de faire une pause et bon, là, cette année ...., je reprends un peu, quoi.

4 Écrivez un résumé de la carrière sportive de Vincent. Commencez avec la phrase proposée ci-dessous, puis essayez de vous rappeler les stages de son développement.

Tout d'abord, à l'âge de six ans il a commencé à jouer au football. Après .... Puis .... A l'âge de .... Puis .... Puis maintenant ....

Compétences orales et écrites . . . .

Exprimer des opinions

1 Dressez une liste de ce qui, à votre avis, pousse les gens à s'adonner aux sports tels que la randonnée en montagne ou la planche à voile. Comparez cette liste avec celle de votre partenaire. Discutez des différences. Pour votre discussion, utilisez les expressions suivantes :

   – pour moi
   – je pense que
   – j'ai l'impression que
   – je suis d'accord
   – je ne suis pas d'accord
   – il me semble que
   – on pourrait penser que
   – je trouve que
   – c'est le goût de
   – on a besoin de
   – on doit

2 A l'écrit, décrivez une journée que vous avez passée à faire du sport ou à faire une longue randonnée à la campagne ou en montagne. Les expressions suivantes pourraient vous être utiles :

   – J'ai commencé par… + *infinitif*
   – Puis
   – Ensuite
   – J'ai décidé de… + *infinitif*
   – J'ai eu l'impression de… + *infinitif*
   – C'était vraiment
   – J'ai fini par… + *infinitif*

4 Les projets de vacances

Contenu

Un projet de vacances, c'est quoi pour vous ? Si le soleil et la chaleur vous attirent, vous aimeriez peut-être des vacances sur une île tropicale, comme Martinique. Mais les tropiques ne sont pas si loin de nous. Vous lirez comment on a même recréé les tropiques en France. Et si ce n'est pas la chaleur et les tropiques qui vous attirent, écoutez les jeunes Français qui parlent de leurs projets de vacances en France.

Découverte Martinique

Soleil, ciel bleu et chaleur assurés pour une semaine de rêve à la Martinique. Vous serez logés en hôtel trois étoiles, chambres tout confort, face à la mer, toujours à 29°.

Pour les amateurs de sports, piscine à ciel ouvert, et courts de tennis sont à la disposition des clients. Détente et baignade sur une vaste plage de sable blanc bordée de cocotiers.

Puis, à bord d'un voilier, vous vivrez pendant deux jours, une croisière inoubliable à la découverte des paysages enchanteurs de la côte caraïbe. Déjeuners martiniquais à bord du voilier.

Le prix exceptionnel du séjour une semaine comprend :
– L'avion Paris-Martinique aller-retour
– la pension complète en hôtel ainsi que les repas à bord du voilier.

1 Faites une liste de tous les mots utilisés dans ce texte qui évoquent pour vous les vacances.

Exemple : Soleil

2 Relevez dans le texte toutes les expressions utilisées pour attirer les clients.

Exemple : Chaleur assurée

3 Quel est le genre des mots suivants? Donnez la raison de votre choix.

Mot	Genre	Raison
semaine	F	Terminaison: -aine
amateur	M	Terminaison: -eur; un être masculin
piscine		
disposition		
détente		
baignade		
cocotier		
voilier		
prix		

4 Avec un(e) partenaire, imaginez que vous partez en Martinique. Dites à votre partenaire ce que vous ferez. Utilisez le futur.

Exemple :
J'habiterai un bon hôtel, j'aurai une chambre tout confort.

EN SOLOGNE SOUS LES TROPIQUES

Dehors, feuilles mortes et léger crachin de rentrée : c'est déjà l'automne. Dedans, ce sont les tropiques. Dans une atmosphère moite de serre équatoriale, Jacuzzi, bains soufflants et autres toboggans vous plongent dans une eau à 29° C. Vous êtes sous "la bulle", au cœur du Center Parcs des Hauts-de-Bruyère, en Sologne, à deux heures de Paris. C'est pour cette bulle que Véronique, Aimé et leurs trois enfants sont devenus des inconditionnels des Center Parcs. Entre une semaine de ski en hiver et un séjour aux Hauts-de-Bruyère, les petits n'ont pas hésité.

Direction : Sologne sous les tropiques. "Ici au moins on n'est pas tributaire de la météo", constate Véronique. Ils sont venus en voiture, les vélos sur le toit et le coffre rempli de nourriture. "A 4 000 francs la location, c'est raisonnable, assure ce couple d'instituteurs parisiens... Ça permet encore de se payer quelques extras."

Tennis pour monsieur, sauna pour madame, un badminton pour les enfants... Ici, seul le parc aquatique est gratuit : la restauration et toutes les autres activités sont payantes.

Aimé et sa famille viennent ici comme ils iraient dans leur maison de campagne. Rien à voir avec un parc d'attractions. Ici, on s'installe, pour un week-end ou pour quelques jours, dans des petits bungalows standardisés perdus dans la forêt. Les voitures restent au parking. Vélo obligatoire. "Rien n'est fait pour les célibataires", reconnaît la direction. Un Center Parcs, c'est familial. Importé des Pays-Bas en 1987 sans grand renfort de publicité, le concept avait d'abord fait ricaner tout le monde. Aujourd'hui, les deux parcs français, celui de Normandie et celui de Sologne, affichent un taux d'occupation de... 96%. Des cadres de Disney s'y seraient même installés. A la recherche de la formule magique.

Vocabulaire

le crachin drizzle
la rentrée start of term
moite sticky, muggy, damp
la serre hothouse
un bain soufflant heated pool
la bulle bubble, dome
un inconditionnel wholehearted supporter
tributaire de la météo dependent on the weather forecast
rien à voir avec nothing to do with
ricaner to snigger
affichent un taux d'occupation display attendance figures

1 Après avoir lu cet article, remplissez le tableau ci-dessous, selon les indications du texte.

Situation du Center Parcs	
Température intérieure	
Jeux d'eau et sports	
Type de logement	
Non compris dans le prix	
Mode de déplacement	

2 Trouvez dans le texte une phrase ou une expression qui fait contraste avec une phrase ou une expression qui la précède ou qui la suit.

Phrase/Expression	Contraste
dehors, feuilles mortes et léger crachin de rentrée	*dedans, ce sont les tropiques*
	ici… on n'est pas tributaire de la météo
	sauna pour madame
	la restauration et toutes les autres activités sont payantes
rien à voir avec un parc d'attractions	
	vélo obligatoire
rien n'est fait pour les célibataires	
	aujourd'hui

35

Point-grammaire . . . .

Accord et position de l'adjectif voir pages 149–151, § 15–18; 22

- L'adjectif permet de décrire un être ou un objet. Il précise les caractéristiques ou les qualités d'un objet.

- L'adjectif varie en *genre* et en *nombre*.

- Il y a trois possibilités pour la position de l'adjectif en français. Voici des exemples pris dans les textes de ce chapitre.

1 L'adjectif suit le nom
Dans une atmosphère **moite**.
In a damp atmosphere.

Vous vivrez une croisière **inoubliable**.
You will experience an unforgettable cruise.

Le prix **exceptionnel** du séjour.
The exceptional price of the stay.

La pension **complète**.
Full board.

Piscine à ciel **ouvert**.
Open-air swimming pool.

A la découverte des paysages **enchanteurs** de la côte caraïbe.
In search of the enchanting landscapes of the Caribbean.

2 L'adjectif précède le nom
Détente et baignade sur une **vaste** plage.
Relaxation and bathing on a vast beach.

On s'installe dans des **petits** bungalows.
They settle into little bungalows.

3 L'adjectif suit le verbe *être*
La restauration et toutes les autres activités sont **payantes**.
Catering and all other activities have to be paid for.

Pratique de la grammaire . . . .

Accord et position de l'adjectif

1 L'adjectif après le nom

Trouvez dans la sélection ci-dessous l'adjectif qui convient à chacun des mots en gras dans les phrases.

N.B. La terminaison de l'adjectif vous indique à quel mot il se réfère.

magnifique	très connu	ancienne	environnante	inoubliables	aimable
excellents	ensoleillée	rouge et jaune	riches	méditerranéenne	propres

Exemple :

C'est un **artiste**.

C'est un artiste très connu.

a Il habite dans une **maison**.

b Nous avons une **vue** sur la **campagne**.

c Elle porte un **bikini**.

d C'est une **région** qui attire les **gens**.

e Ils ont passé des **vacances** sur la **côte**.

f Dans leur hôtel, ils ont trouvé les **chambres**, les **repas** et le **personnel**.

2 L'adjectif avant le nom

Trouvez dans la sélection ci-dessous l'adjectif qui convient à chacun des mots en gras dans les phrases. Réécrivez la phrase en insérant l'adjectif.

N.B. La terminaison des adjectifs vous indique à quels mots ils se réfèrent.

meilleurs	chère	beau	nouvelle	mauvais	longues	vieille	belles

a Elle a retrouvé sa **Provence**.

b Ils sont partis avec leurs **amis**.

c Nous allons prendre cette année des **vacances**.

d Nous voyagerons dans notre **voiture**.

e Il a gardé un **souvenir** de ses vacances parce que sa **voiture** est tombée en panne.

f Nous voulons passer nos vacances dans un **pays** avec des **plages** de sable fin.

Projet de vacances – Loïc

Claire et Florent recontrent Loïc à la cafétéria du lycée. Ils parlent des projets de vacances.

1 🔘🔘 Regardez le tableau ci-dessous, puis, en écoutant la cassette, essayez de le remplir.

Nom	Occupation en août	Type d'hébergement	Régions visitées	Sports pratiqués	Compagnons de vacances
Loïc		camping			
Florent					

2 📟 Lisez d'abord les questions ci-dessous. Réécoutez le dialogue, puis, répondez à ces questions en français.

a Loïc dit "je ne vais jamais tenir jusqu'à la fin du mois". Pourquoi ?

b Pourquoi Loïc pense-t-il que ça va être très dur de faire 200 km à vélo ? Donnez deux raisons.

c Qu'est-ce que les deux copines de Loïc vont faire en Ardèche avec les autres ?

d Qu'est-que vous apprenez sur la tante de Florent ? Donnez trois détails.

e Comment Loïc espère-t-il convaincre la tante de Florent ?

3 📟 En écoutant le dialogue, essayez de remplir les blancs.

Loïc : Moi, je ………… en vacances en août, ………… en Ardèche avec mes deux cousins. Ça …………, j'en suis sûr. D'abord, ………… à vélo – 200 kilomètres sans ………… préalable, ………… dur, dur ! Et en plus, ………… du Massif Central. Alors, vous imaginez ………… en pente raide ! De là, ………… deux copines qui ………… mais seulement pour faire la descente des gorges en canoë. ………… environ trois jours pour faire la descente. ………… à la belle étoile, ………… comme des Robinsons, toute la journée en plein air. Ah ! j'en rêve.

Compétences orales et écrites . . . .

Faire des projets

Vous allez visiter le château de Latour en Normandie avec l'Organisation Voyages Jeunesse. Tout le programme de la semaine est prévu (voir Feuille de travail Extra ! – *Château de Latour : Emploi du temps*) mais – par une erreur de l'Organisation – vous n'avez que la moitié des détails. Vous téléphonez donc à votre ami(e) (partenaire A) pour lui demander si il/elle a les détails qui manquent. Comparez vos deux emplois de temps. Vous pouvez utiliser les expressions suivantes.

Questions

C'est à quelle heure, le petit déjeuner ?
C'est quand… ?
Où est-ce qu'on va lundi/mardi ?
Qu'est-ce qu'on va voir ?
Qu'est-ce que tu as l'intention de faire ?
On va + *infinitif* ?
Et ensuite ?
Qu'est-ce qu'on va y faire ?

Réponses

Lundi, on va + *infinitif*
Nous allons + *infinitif*
A huit heures…
Il y aura…
Puis…
Ensuite…
Après cela…
Alors…
Finalement…
J'espère + *infinitif*
Je compte/j'ai l'intention de + *infinitif*

5 Les jeunes

Contenu

 Comment vont les jeunes ? Sont-ils pour la plupart, heureux, confiants dans l'avenir ? A travers les sondages, les lettres et les interviews qui suivent, des jeunes nous parlent de leurs préoccupations, des problèmes qu'ils rencontrent avec leurs parents. Mais aussi de leurs espoirs. Les attitudes de la jeunesse française actuelle ont évolué. Elles sont différentes des attitudes de la génération passée. Vous reconnaissez-vous dans ce portrait des jeunes Français ? Ou vous sentez-vous très différents ?

Lecture 1

Sondages : les jeunes

Voici les résultats de trois sondages effectués auprès des jeunes.

1 Moral

Les jeunes d'aujourd'hui rencontrent beaucoup de problèmes, et pourtant ils gardent le moral. Regardez ces statistiques.

Est-ce que ces phrases sont vraies ou fausses ?

a Chez la grande majorité des jeunes, le moral est excellent.
b Plus de la moitié des jeunes ont le bon moral.
c Moins d'un tiers des jeunes ont assez bon moral.
d Moins d'un vingtième des jeunes ont mauvais moral.

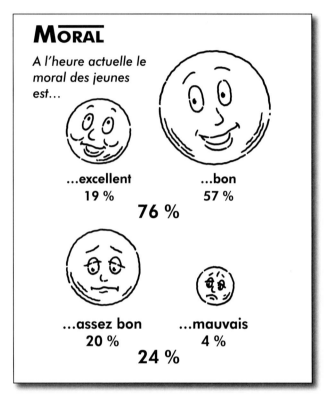

MORAL

A l'heure actuelle le moral des jeunes est…

…excellent
19 %

…bon
57 %

76 %

…assez bon
20 %

…mauvais
4 %

24 %

2 Menaces

Voici, classées par ordre d'importance, une liste des menaces qui pèsent sur la jeunesse.

Examinez les catégories de ce sondage.

a Classez-les par ordre d'importance pour vous.
b Comparez votre liste avec les résultats du sondage. Quelles sont les différences ? Y a-t-il des menaces qui ne sont pas mentionnées dans le sondage ?
c Comparez votre liste avec celle d'un(e) ami(e).

Les expressions suivantes pourraient vous être utiles :

Pour moi, … arrive en tête
À mon avis, **X** est plus important(e) que **Y**
Pour moi, c'est moins important
Pour moi, c'est plus important
Z est la menace la moins importante

MENACES

Qu'est-ce qui inquiète les jeunes d'aujourd'hui ?

Le SIDA	48 %
La progression du chômage	47 %
Les conflits dans le monde	38 %
Le racisme	31 %
Les désastres naturels	27 %
La violence dans les écoles	23 %
La montée du fascisme	23 %
La faim et les sécheresses	22 %
L'avenir de l'éducation	15 %
L'instabilité du Moyen-Orient	9 %
La crise des banlieues	5 %
L'évolution de l'Union Européenne	4 %
La crise des "économies tigres"	3 %

Total supérieur à 100, les interviewés ayant pu donner 3 réponses.

3 Réussir sa vie

Qu'est-ce qu'une vie réussie ? Les jeunes ont des opinions différentes à ce sujet. Est-il essentiel de gagner beaucoup d'argent ou de connaître une grande passion ? Voici ce que l'on pense.

Pour vous, réussir sa vie, c'est avant tout...

	Tout à fait d'accord	Plutôt d'accord	Plutôt pas d'accord	Pas d'accord du tout
Exercer un métier passionant	70 %	27 %	2 %	1 %
Total	**97 %**		**3 %**	
Réussir sa vie familiale	47 %	46 %	7 %	–
Total	**93 %**		**7 %**	
Défendre une grande cause	27 %	48 %	20 %	5 %
Total	**75 %**		**25 %**	
Vivre un grand amour	24 %	44 %	24 %	8 %
Total	**68 %**		**32 %**	
Avoir beaucoup de temps libre	17 %	39 %	32 %	12 %
Total	**56 %**		**44 %**	
Gagner beaucoup d'argent	14 %	39 %	32 %	15 %
Total	**53 %**		**47 %**	

La recherche de la sécurité au travers d'un travail intéressant et d'une famille unie, n'empêche pas les lycéens de s'intéresser aux grandes causes.

Quelle catégorie reçoit le plus de voix favorables ? Êtes-vous d'accord avec les résultats de ce sondage ?

Demandez à vos amis de compléter un sondage semblable. Comparez-en les résultats avec ceux de cet article. Y a-t-il des différences ? Les expressions suivantes pourraient vous être utiles :

Pour toi...
Est-il plus important de... ou de... ?
Préférerais-tu... ou... ?
Je trouve ces résultats intéressants/curieux/bizarres

Lecture 2

Mes parents ne me laissent pas sortir !

Contrairement à beaucoup de mes camarades, je ne peux pas faire grand'chose à l'improviste : accompagner des copines, partir le week-end avec mes cousines, aller coucher chez des amies. On dirait que mes parents veulent casser systématiquement toutes mes envies de sortir sans raison. Est-ce du sadisme de leur part ?

A côté de cela mon père et ma mère partent en vacances, en cours d'année, et me laissent seule avec ma sœur de 26 ans, ce qui me vaut quinze jours de liberté totale ! C'est ça que je leur reproche : ils ne sont pas cohérents. Ce qui les intéresse c'est surtout de me brimer dès que l'initiative vient de moi. Ou de m'empêcher de m'amuser quand eux ne le font pas. C'est mon père qui s'oppose à moi, c'est lui qui décide... S'il ne veut pas me laisser sortir le soir, ma mère ne dit jamais le contraire. Dans ces permissions de sorties, leurs motivations me paraissent obscures, confuses.

Anaïs (17 ans)

1 Mariez les expressions ci-dessous à leurs définitions.

Exemple : a = iii

a	à l'improviste	**i**	cela me donne
b	casser	**ii**	logique
c	sadisme	**iii**	d'une manière inattendue
d	ce qui me vaut (valoir)	**iv**	frustrer
e	cohérent	**v**	désir de faire mal
f	brimer	**vi**	supprimer

2 Regardez les notes sur le genre des noms à la page 49. Décidez si les noms suivants, pris dans le texte, sont masculins ou féminins.

> des copines   mes cousines   des amies   envie   l'initiative   permissions
> motivations

3 Regardez d'abord les notes sur les négatifs à la page 52. Faites une liste de toutes les structures négatives que vous trouvez dans la *Lecture 2*.

Exemples :
je ne peux pas faire
ils ne sont pas cohérents

4 Copiez le tableau suivant et complétez-le, selon les informations données dans le texte.

Restrictions sur Anaïs	Motivations des parents
Ses parents ne la laissent pas sortir	*Ils veulent casser systématiquement ses envies de sortir*

5 Imaginez une situation semblable chez vous. Parlez-en à un(e) camarade de classe. Utilisez les expressions suivantes :

Mes parents ne me laissent pas…
Je ne peux pas…
Ils ne veulent pas me laisser…
A côté de cela…
C'est ça que je leur reproche
Ce qui les intéresse surtout, c'est…
Moi, ce n'est pas du tout pareil
Je trouve qu'ils ont tout à fait raison

Les sorties et le travail scolaire

Élisa (16 ans), Yannick (16 ans) et Guillaume (18 ans) nous parlent franchement de leurs soirées, de leurs sorties et du travail scolaire.

1 🔘 Après la première écoute, remplissez le tableau suivant.

Nom	Jour(s) de sortie le soir	Activité(s) le soir en semaine	Activité(s) lors des sorties
Élisa			
Yannick			
Guillaume			

2 Répondez aux questions suivantes en écrivant la lettre qui correspond à la personne : E pour Élisa, Y pour Yannick et G pour Guillaume.

a Qui pense qu'il faut travailler beaucoup à cause du chômage ?

b Qui ne sort pas le samedi parce qu'il y a trop de devoirs à faire ?

c Qui ne sort jamais le soir en semaine pendant le trimestre scolaire ?

d Qui est le plus âgé du groupe ?

e Qui aime aller chez des amis discuter et écouter de la musique ?

f Qui aime aller en boîte de nuit ?

g Qui aime surtout rencontrer des gens différents ?

3 Dites si les phrases suivantes sont vraies ou fausses.

a Elisa veut réussir ses études pour ne pas être au chômage.

b Elisa va en boîte tous les week-ends.

c Yannick ne sort que le samedi soir.

d Guillaume sort moins que les autres.

e Guillaume sort toujours quand il en a l'occasion.

f Ce qu'Elisa aime surtout c'est faire la connaissance d'autres gens.

L'âge des copains

Sébastien a 16 ans. Il a quatre très bons amis. Il nous raconte quelques petites histoires de sa vie.

1 🎧 Dites si les phrases suivantes sont vraies ou fausses. Si elles sont fausses, corrigez-les.

Exemple :
Sébastien a quatre très bons amis qui sont des garçons.
Faux. Ce sont deux filles et deux garçons.

a Les copains de Sébastien sont tous dans son lycée.
b Quand ils sont ensemble, ils passent beaucoup de temps à bavarder.
c Sébastien trouve que ses copains sont très importants dans sa vie.
d Il est très heureux en ce moment parce qu'il a une petite amie.
e Pendant trois semaines, il a été très heureux et très amoureux.
f Pour lui, 16 ans est un âge où on se sent toujours heureux.

Sébastien, 16 ans

2 Classez à gauche dans le tableau ci-dessous les expressions qui montrent la joie, l'enthousiasme de Sébastien, et à droite, ses expressions de tristesse.

Exemple :

Joie	Tristesse
C'est super	

3 🎧 En suivant la cassette, essayez de reliez chaque début de phrase à gauche à la partie de droite qui lui correspond.

Exemple :
a iv Pour moi 16 ans, c'est l'âge des copains.

a Pour moi 16 ans,
b Quand on rentre chez soi
c Ça, ça énerve vraiment
d Je ne sais pas
e Pour la première fois
f J'ai compris à quel point
g On a l'impression
h C'est si important d'avoir

i ce que je ferais sans eux.
ii que personne ne nous comprend.
iii on se téléphone.
iv c'est l'âge des copains.
v on pouvait être malheureux.
vi j'ai eu une petite amie.
vii des copains avec qui on peut discuter.
viii les parents.

Lecture 3

J'ai confiance dans l'avenir

Je me décide à réagir à votre article intitulé, "Les adolescents, sont-ils pessimistes ?" Moi, je ne suis pas du tout pessimiste ! Au contraire, j'ai confiance dans l'avenir et je ne pense pas faire partie de "la génération sacrifiée". C'est vrai que, dans chaque génération, les jeunes ont toujours du mal à s'intégrer. Et je crois que nous les jeunes, nous sommes aujourd'hui plus dépendants de nos parents. Mais ce ne sont pas des raisons pour être pessimiste !

Il faut être optimiste, penser à toutes les choses qu'on peut faire dans le monde. Moi, je suis convaincue que ce qu'il adviendra dépend de moi seule. Au lieu de se plaindre, la nouvelle génération doit se lancer le défi de reconstruire tout ce qui a été détruit par les générations précédentes. Ça c'est mon but personnel. Je sais très bien que j'ai du chemin à parcourir, mais je sais aussi qu'il ne faut pas avoir peur de l'inconnu.

Sophie, 17 ans

1 Répondez aux questions suivantes.

a Choisissez dans la liste suivante les mots et les expressions qui vous semblent le mieux décrire l'attitude de Sophie :
confiante ; pessimiste ; désespérée ; positive ; elle prend les choses du mauvais côté ; elle prévoit heureusement l'avenir ; constructive ; optimiste ; elle dépend entièrement des autres.

b Elle cite deux raisons pour lesquelles certains jeunes se disent pessimistes. Quelles sont ces deux raisons ?

c Quelle expression dans la lettre vous révèle que Sophie est consciente de ses propres limites ?

d Quelle expression dans la lettre vous dit qu'elle est courageuse ?

2 Comment exprimer des opinions et des certitudes. Voici quatre exemples pris dans le texte. Remplacez les expressions à caractère gras par leur équivalent que vous trouvez dans la liste **i**–**iv** ci-dessous.

a **Je ne pense pas** faire partie de la génération sacrifiée.
b **Je crois que** nous sommes plus dépendants de nos parents.
c **Je suis convaincue que** ce qu'il adviendra dépend de moi seule.
d **Je sais très bien que** j'ai du chemin à parcourir.

i Je pense que…
ii Je suis sûr(e) que…
iii Je n'ai pas l'impression de…
iv Je n'ai aucun doute que…

3 Pour chacune des phrases **a**–**d** ci-dessus, dites s'il s'agit d'une opinion **forte**, d'une opinion **positive** ou d'une opinion **négative**.

4 Faites un reportage sur ce que dit cette correspondante, en réécrivant le premier paragraphe à la troisième personne du verbe (elle).

Exemple :
Je me décide à réagir à **votre** article.
Elle se décide à réagir à **leur** article.

Point-grammaire . . . .

Le genre des noms   voir pages 144–146, §01–06

En français, les noms sont masculins ou féminins. En général les êtres mâles sont masculins et les êtres femelles sont féminins.

Masculin	Féminin
un homme	une femme
un taureau	une vache

La terminaison d'un mot en révèle souvent le genre. Vous trouverez une liste entière des règles sur les genres (voir pages 144–145).
Voici quelques exemples sélectionnés dans les textes de cette unité.

1   Les mots avec les terminaisons suivantes sont, en général, masculins.

Terminaison	Exemple	Exceptions
-age	sondage	cage ; plage ; page ; image ; rage
-isme	racisme	
-in	cousin	fin

2   Les mots avec les terminaisons suivantes sont, en général, féminins.

Terminaison	Exemple	Exceptions
-tion ; -sion	génération progression	
-iance ; -ience	confiance	
-ée	montée	lycée ; musée
-ine	cousine	
-ie	partie	incendie ; parapluie
-té	liberté	le comité ; le comté

Les pronoms disjonctifs

voir page 153, §27

Moi, j'ai confiance dans l'avenir.
I have confidence in the future.

… ou de m'empêcher de m'amuser quand **eux** ne le font pas.
*… or to stop me from having fun when **they** aren't having any.*

C'est **lui** qui décide.
***He**'s the one who makes the decisions.*

C'est mon père qui s'oppose **à moi**.
*My dad's the one who's against **me**.*

Pratique de la grammaire . . . .

Le genre des noms

Dites si les noms suivants sont masculins ou féminins. Donnez votre raison.

Nom	Masculin/Féminin	Raison
père	M	*un être masculin*
sortie	F	*terminaison -ie*
âge		
copine		
bougie		
chômage		
terrorisme		
responsabilité		
motivation		
pessimisme		
copain		

Les pronoms disjonctifs

1 Complétez les phrases suivantes avec le pronom disjonctif qui s'impose.

a ...., je veux être indépendante.

b Qu'est-ce que tu veux faire, ... ?

c Marianne, ..., s'entend parfaitement avec ses parents.

d Les garçons, ..., veulent partir en vacances sans leurs parents.

e Les trois filles, ..., sont contentes de rester à la maison.

2 Complétez les phrases suivantes avec la préposition qui convient.

Exemple :

Il ne l'accepte pas si cela vient .... **moi**.
Il ne l'accepte pas si cela vient **de moi**.

a Ce weekend mes cousines ne peuvent pas partir. Elles doivent rester .... **elles**.

b Mon père ne supporte pas que je m'oppose .... **lui**.

c Mes parents veulent aller en Espagne. Ça me plairait beaucoup. Je serais très contente d'y aller .... **eux**.

d Mais parents nous aiment, mon frère et moi. Ils font tout ce qu'ils peuvent .... **nous**.

e Ma mère adore mon petit frère. Elle accepte tout ce qu'il dit. Si cela vient .... **lui**, c'est bien.

Écoute **3**

Avoir 16 ans

Anne a 16 ans. Elle nous révèle ce que cela veut dire pour elle – avoir 16 ans.

1 ▣▣ Cochez dans la liste ci-dessous les mots ou expressions que vous entendez dans l'enregistrement.

naissance	réaliser	plein de	réagissent	extraordinaire
enfance	pas mal de	intérêt	beaucoup moins	
expériences	impatiente	toujours	durent	dormir

2 Dites si les phrases ci-dessous correspondent ou non à ce qu'Anne pense d'avoir 16 ans.

a Anne est heureuse de mieux comprendre les autres.

b Elle a l'impression tout à coup de découvrir le monde.

c Pendant son enfance elle était déjà très curieuse de tout.

d Pourtant le monde qu'elle découvre la désespère souvent.

e Pour elle, chaque nouvelle journée est une nouvelle aventure.

f Anne trouve que les journées sont trop longues.

3 ▣▣ Vous entendez les phrases ci-dessous sur l'enregistrement. Complétez-les en réécoutant la cassette.

a Pour moi, avoir 16 ans, c'est comme une ....

b Je commence à comprendre ....

c Et maintenant, ...

d Il y a tant d'expériences ...., tant d'émotions ....

e Parfois je me dis que .... assez de temps ....

Lecture

4 # Et vos 16 ans, c'est comment ?

On les regrettera, nos 16 ans

A 16 ans on n'a pas des tas de responsabilités et pas autant de problèmes qu'à 30 ou 40 ans. OK, la vie n'est pas toujours rose, mais c'est pareil à tous les âges. Alors, si on se plaint maintenant, qu'est-ce que ce sera à 50 ans ? A mon avis, on les regrettera, nos 16 ans.

Moi, prendre la tête à mes parents pour sortir, ou à mes copines à cause d'un mec, ça m'amuse. Eux non, mais moi beaucoup. Je crois que sans les conflits avec les parents ou les profs, on s'ennuierait…

Gaëlle

Je n'ai plus la chance de croire au Père Noël

Je ne ressemble plus à la petite fille de la photo qui jouait dans le bac à sable de la résidence, ni à celle qui soufflait ses 10 bougies avec un grand sourire. Non, je n'ai plus la chance de croire au Père Noël, ni à la petite souris, ni aux cloches, ni à rien du tout ce qui faisait de moi la "petite" Sylvaine. Bref, tout a changé.

16 ans, c'est un âge paradoxal, mais un âge de découvertes en tout genre, et je crois que je n'oublierai jamais cette période de ma vie. Mes 16 ans, je crois bien que j'en suis fière quelque part…

Sylvaine

---

1 Parmi les affirmations suivantes, choisissez celles qui correspondent aux émotions de Gaëlle et de Sylvaine.

Exemple :

Gaëlle	Sylvaine
b	e

a Elle pense qu'il faut profiter des avantages d'avoir 16 ans.
b Elle est prête à se disputer avec ses parents.
c Elle a perdu pas mal de ses illusions.
d Elle n'est pas toujours d'accord avec ses amies.
e Elle s'est transformée depuis qu'elle était petite fille.
f Elle pense que 16 ans, c'est un âge de découvertes.
g Elle considère qu'on ne doit pas se plaindre.
h Elle gardera toujours le souvenir de ses 16 ans.

2 Que pensez-vous de ce que disent Gaëlle et Sylvaine ? Écrivez une phrase pour donner votre point de vue.

Gaëlle	Et vous ?
a On n'a pas un tas de responsabilités à 16 ans.	*Mais si ! Il y a les responsabilités des études et des examens.*
b Il ne faut pas se plaindre à 16 ans.	
c On les regrettera nos 16 ans.	
d On s'ennuie s'il n'y a pas de conflits avec les profs ou les parents.	
Sylvaine	**Et vous ?**
a On n'a plus rien en commun avec la petite fille ou le petit garçon qu'on était avant.	
b 16 ans, c'est un âge plein de paradoxes.	
c C'est un âge où on découvre énormément sur la vie.	
d On est peut-être même fier de ses 16 ans.	

Point-grammaire . . . .

Les phrases négatives voir page 166, §58

- Une phrase *affirmative* exprime un fait :

  Exemple :
  Mes parents me laissent sortir.
  My parents let me go out.

- Une phrase *négative* exprime qu'un fait **n'est pas** :

  Exemple :
  Mes parents ne me laissent pas sortir.
  My parents don't let me go out.

- Voici d'autres exemples avec ***ne... pas*** :

  Je ne peux pas faire grand'chose à l'improviste.
  I can't do much on the spur of the moment.

  On n'a pas des tas de responsabilités.
  One hasn't got a heap of responsibilities.

- Voici d'autres exemples d'expressions négatives :

  ne... jamais
  Ma mère ne dit jamais le contraire.
  My mother never says the opposite.

  Je n'oublierai jamais cette période.
  I shall never forget this time.

ne... plus
Je ne ressemble plus à la petite fille.
I no longer have anything in common with the little girl.
OR   *I don't have anything in common … any more.*

Je n'ai plus la chance de croire au Père Noël.
I am not lucky enough to believe in Father Christmas any more.

ne... que
Yannick ne sort que le samedi soir.
Yannick only goes out on Saturday evenings.

ne... ni... ni
Je ne ressemble plus à la petite fille... ni à celle qui soufflait ses 10 bougies.
I no longer have anything in common with the little girl … nor with the one who blew out her 10 candles.

Je n'ai plus la chance de croire au Père Noël, ni à la petite souris, ni aux cloches, ni à rien du tout...
I am not lucky enough to believe in Father Christmas any more, nor in the little mouse, nor in the bells, nor in anything at all …

Pratique de la grammaire . . . .

Les phrases négatives

1 Résumez toutes les phrases négatives que vous trouvez dans les articles de Gaëlle et de Sylvaine. Introduisez chaque phrase avec : *Elle dit que…* ou *Elle pense que…*

Exemple :
Gaëlle pense qu'on n'a pas des tas de responsabilités. Elle dit aussi que… et elle pense que…

2 Répondez aux questions en utilisant une expression négative.

Exemple :
Vous avez le droit de sortir quand vous voulez ?
Non, je ne peux pas sortir le samedi soir.

    a Vous avez toujours la permission de minuit ?
    b Vous sortez souvent le soir ?
    c Vous pouvez rentrer quand vous voulez ?
    d Vous passez souvent le weekend chez des copains/des copines ?
    e Vos parents vous donnent la permission de fumer, de boire de l'alcool et de consommer des drogues ?

3 Refaites les phrases suivantes en écrivant 'ma mère' à la place du sujet du verbe :

Exemple :
Mes parents ne me laissent pas sortir.
Ma mère ne me laisse pas sortir.

    a Mes parents n'essaient pas de me retenir à la maison.
    b Mes parents ne peuvent pas m'empêcher de sortir.
    c Mes parents ne veulent jamais que je m'amuse.
    d Mes parents ne partent jamais en vacances.
    e Mes parents ne sont ni trop stricts ni trop indulgents.

4 Traduisez en français.

    a I can only go out on Saturday evenings.
    b My parents never let me stay out until midnight.
    c She's not a little girl any more.
    d She doesn't want to stay at home in the evenings.
    e I don't want to go out every evening, nor on Saturdays, nor during the holidays.
    f I shall never forget the time when I was 16.

Compétences orales et écrites . . . .

Comparer et échanger des points de vues

Et vous ? Qu'est-ce que vous pensez d'avoir 16 ans ? Est-ce difficile ? Facile ? C'est bien ? Et vos rapports avec vos parents et avec vos amis ? Discutez à deux. Vous pouvez utiliser les expressions suivantes.

Votre opinion	**Pour vous enquérir d'une opinion**
pour moi	et pour toi ?
à mon avis	quel est ton avis ?
je trouve que	tu trouves aussi que… ?
il me semble que	est-ce qu'il te semble que… ?
je pense que	que penses-tu de… ?
on pourrait penser que	est-ce que tu as une opinion là-dessus ?
je ne sais pas que penser de	j'aimerais savoir ce que tu penses de…
j'ai l'impression que	quelle est ton attitude en ce qui concerne… ?
je suis convaincu(e) que	

Exprimer une opinion

Écrivez un court paragraphe (pas plus de 100 mots), répondant à la question :
Et vos 16 ans, c'est comment ?

Exemples :
– Pour moi, avoir 16 ans est difficile. On n'est pas encore accepté comme adulte, et on n'est plus un enfant. Quel est ton avis?
– Je trouve que les parents devraient nous laisser plus de liberté. J'aimerais savoir ce que tu en penses.

Vous pouvez relier vos phrases avec des expressions comme :

il est vrai que…
…, cela est vrai
bien sûr
pourtant
… n'est pas forcément…

6 La famille

Contenu

 La famille ne ressemble plus à ce qu'elle était dans le passé. L'augmentation des divorces, des couples non-mariés, des familles monoparentales, mais aussi le nombre croissant de personnes âgées ont entraîné de profonds changements. Quelles sont les conséquences de ces changements sur les mères qui élèvent les enfants seules et sur les enfants qui voient leurs parents divorcer ? Enfants, parents ou grand-parents, comment chacun vit-il cette évolution ? Les articles qui suivent étudient certains aspects de la famille actuelle.

Vive la famille !

Je réponds à la question posée dans votre dernier numéro « La famille, qu'en pensez-vous ? » J'espère que vous publierez ma lettre, parce que, moi, la famille, j'y crois, et je me sens bien chez moi.

J'ai un frère et deux sœurs. On est quatre. Alors, c'est plutôt animé chez nous. Je partage une chambre avec mon frère aîné. J'aimerais avoir ma propre chambre, mais il y a des avantages : il m'aide avec mes devoirs de maths et on rigole bien quelquefois le soir ensemble.

Avec mon père, ça se passe plutôt bien. En général, il a tendance à commencer par dire non, mais si on prend le temps de discuter avec lui, d'expliquer nos raisons, il s'adapte. C'est pas toujours facile pour lui, parce qu'il a eu une éducation stricte, alors finalement, je trouve qu'il est plutôt cool. Quant à ma mère, elle est super. Elle essaie toujours d'arranger les choses quand il y a des querelles à la maison. Si l'un de nous a un problème, même si on ne dit rien, elle le sent ! Mes parents s'entendent très bien ensemble et je crois que c'est ça qui crée une bonne atmosphère à la maison. Le soir, on se met tous à table et le dîner est un très bon moment de la journée : on se raconte ce qu'on a fait dans la journée, on discute des actualités, de tout… je ne dis pas qu'on ne se dispute pas quelquefois ; il y a des moments d'orage. Mais je me dis souvent que j'ai beaucoup de chance : je me sens en sécurité chez moi, j'ai l'impression que là, rien de mal ne peut m'arriver parce que je suis entouré de gens qui m'aiment. Je crois que c'est important pour l'avenir d'avoir une enfance comme ça.

Luc

1 Dites si les phrases suivantes sont vraies ou fausses. Si elles sont fausses, corrigez-les :

   a Luc écrit à un ami pour lui parler de ses frères et sœurs.
   b Luc déteste partager une chambre avec son frère.
   c Il trouve que son père ne fait aucun effort pour le comprendre.
   d Ce sont les parents qui créent une bonne ambiance dans la famille.
   e Le soir, à table la famille regarde les nouvelles à la télévision.

2 Luc écrit "La famille, moi, j'y crois". Relevez dans sa lettre toutes les expressions positives concernant sa famille.

Exemple :
Je me sens bien chez moi.

3 Quelles sont les qualités que Luc apprécie le plus :

   a chez son père ?   **b** chez sa mère ?

Lecture
2

Mes parents se quittent

« J'ai une amie… ça te dérange ? »

Annie (17 ans) : Mon père part vivre avec une autre femme. Avant son départ, il n'y avait que mes parents et moi à la maison. Ma mère m'a souvent parlé de mon père, elle m'a expliqué leurs relations et cette autre femme. Mon père, lui, m'a dit : Tu sais que j'ai une amie ? – Oui. – Ça te dérange ? – Ça ne va pas me faire plaisir !

La discussion s'est arrêtée là. Ma mère était si triste, c'était insupportable. Je fuyais la maison, j'allais chez les autres. Une semaine avant mes examens, mon père m'a dit qu'il voulait vivre avec cette femme. Il voulait savoir si ça me faisait quelque chose. Question stupide ! J'ai souri et j'ai dit que j'avais l'habitude. Je suis partie un mois en Angleterre. A mon retour, il était en vacances, il n'avait jamais dormi à la maison après mon départ. Ma mère m'a demandé avec qui je voulais vivre. J'ai réalisé que c'était fini. J'ai décidé de rester avec ma mère, chez moi, ici. J'ai revu mon père. Il m'a juste parlé de mes vacances, pas de sa vie. Je suis froide, peu communicative. J'aimerais l'aimer comme avant. Mais je dois encaisser tout ça, je dois aider ma mère à sourire, je dois m'en sortir. Je n'ai jamais parlé de cela avec mes grands frères. J'ai peur, j'ai envie de pleurer mais je ne veux pas que ma mère me voie triste.

1 Maintenant, cachez le texte et essayez de retrouver des phrases en combinant un élément de la colonne de gauche avec un élément pris dans la colonne de droite.

a	Ma mère m'a souvent parlé	**i**	de rester
b	Mon père m'a dit	**ii**	que c'était fini
c	Il voulait savoir	**iii**	avec qui je voulais vivre
d	Ma mère m'a demandé	**iv**	si ça me faisait quelque chose
e	J'ai réalisé	**v**	que ma mère me voie triste
f	J'ai décidé	**vi**	aider ma mère à sourire
g	Je dois	**vii**	de mon père
h	Je ne veux pas	**viii**	qu'il voulait vivre avec cette femme

2 Dans ce texte, Annie décrit ses émotions dans la situation difficile où elle se trouve. Regardez cette liste d'expressions qui expriment ces émotions et trouvez-en des équivalents anglais.

a Ça ne va pas me faire plaisir.
b Ma mère était triste.
c C'était insupportable.
d Ça me fait quelque chose.
e Je suis froide, peu communicative.
f Je dois encaisser tout cela.
g Je dois m'en sortir.
h J'ai peur.
i J'ai envie de pleurer.
j Ça te dérange ?

3 Discutez avec un partenaire la situation décrite par Annie. Vous pouvez utiliser la structure suivante pour votre discussion.

- Décrivez ses sentiments.
- Donnez les raisons pour cet appel au secours.
- Quelle est la situation chez elle ?
- Expliquez sa réaction à la question "stupide" de son père.
- Comprenez-vous sa décision de rester avec sa mère ?
- Ses sentiments envers son père sont complexes. Essayez de les analyser.
- Trouvez-vous qu'elle a raison de cacher ses vrais sentiments à sa mère ?

Point-grammaire . . . .

Les pronoms personnels voir page 153, §28

Les pronoms personnels prennent la place d'un substantif ou du nom d'une personne.

1 Pronoms personnels objet direct (*direct object pronouns*)
Ça **te** dérange, Michel ?
*Does that upset **you**?*

J'aimerais **l'**aimer comme avant.
*I'd like to love **him** as I used to.*

2 Pronoms personnels objet indirect (*indirect object pronouns*)
Ma mère **m'**a souvent parlé de mon père.
*My mother often spoke **to me** about my dad.*

Ça ne va pas **me** faire plaisir !
*Literally: That's not going to give any pleasure **to me**.*
(i.e. I'm not exactly over the moon about it!)

Pratique de la grammaire . . . .

Les pronoms personnels

1 La phrase i) dans chaque exemple vous présente une situation. A vous de reconstituer la phrase
ii) pour lui faire suite.

Exemple :
i) Mon père a pris contact avec ma sœur et moi.
ii) téléphoné Il hier a nous

Mon père a pris contact avec ma sœur et moi.
Il nous a téléphoné hier.

a i) J'ai rencontré mon père aujourd'hui.
ii) au ai Je retrouvé café l'
b i) J'ai décidé de voir ma mère.
ii) demain retrouver la vais Je
c i) Ma mère m'a posé une question.
ii) avec je Elle demandé m' qui a vivre voulais
d i) Je dois prendre contact avec mon frère.
ii) téléphoner aujourd'hui lui vais Je
e i) Je ne veux pas que mes parents se quittent.
ii) leur dois immédiatement Je parler

2 Complétez les phrases suivantes avec le pronom qui s'impose.

Exemple :

Mes amis ne .... comprennent pas.

Mes amis ne **me** comprennent pas.

J'aime toujours beaucoup partir en vacances avec ma famille. Mes amis ne ....
comprennent pas et .... disent qu'ils préfèrent partir indépendamment. Mais chez nous,
ça commence déjà en janvier avec les projets pour l'été. Mes parents .... disent, à ma
sœur et moi, ce qu'ils prévoient. Puis, nous avons la possibilité de .... donner notre
point de vue et de .... proposer autre chose. L'année dernière, mon père .... a
proposé une randonnée en montagne, mais je .... ai dit que je préférais des vacances à
la plage. Et quand on est ensemble en vacances, mes parents .... laissent beaucoup de
liberté. Mais on se retrouve toujours le soir pour manger ensemble au restaurant. Mes
parents aiment qu'on .... raconte notre journée.

nous	lui	leur	me

3 Complétez le texte suivant avec les pronoms personnels qui s'imposent. Choisissez-les dans la
sélection qui suit le texte.

Je suis fille unique. Mes parents .... aiment beaucoup. Nous aimons bien sortir ensemble.
Quelquefois mon père revient du bureau, et il .... emmène au théâtre, ma mère et moi.
On s'amuse beaucoup. Si je .... propose de sortir le dimanche, nous faisons tous les trois
une longue balade à la campagne. A l'anniversaire de mon père, je .... offre toujours un
livre, car il adore la lecture. A Noël, on est tous ensemble, et mes grands-parents viennent
.... rejoindre. On est vraiment bien en famille !

leur	nous	lui	m'

Écoute **1**

Interview avec Janine

Janine nous parle de sa retraite, de son travail à l'hôpital et de ses rapports avec les jeunes.

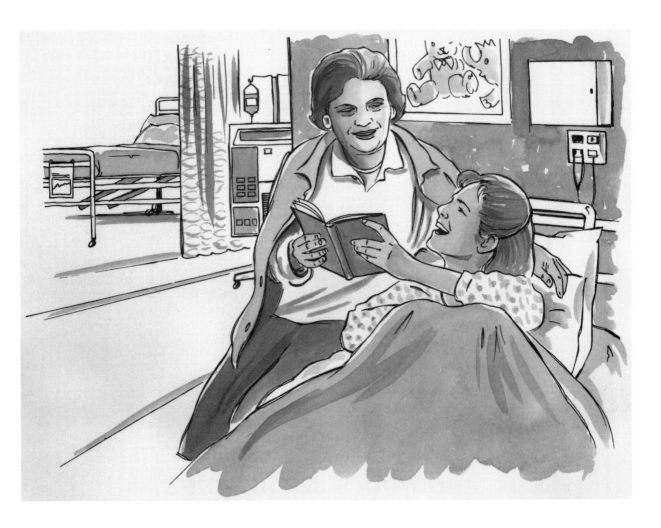

Écoutez la cassette et faites correspondre les expressions de gauche à celles de droite pour obtenir un résumé de cette interview avec Janine, secrétaire à la retraite.

a	Janine a pris	**i**	de l'amour aux autres
b	Toutes les semaines, elle	**ii**	le contact avec les autres
c	Là, elle s'occupe	**iii**	enrichissant
d	D'habitude les petits	**iv**	sa retraite il y a neuf ans
e	La semaine dernière on	**v**	se retrouvent seuls
f	Cela demande	**vi**	font de la peinture ou du découpage
g	Janine aime	**vii**	et ont quitté la maison
h	Elle veut aussi donner	**viii**	sont souvent éloignés de leurs parents
i	Elle trouve que c'est	**ix**	d'enfants
j	Ses enfants ont grandi	**x**	une certaine préparation à domicile
k	Donc, les grands-parents	**xi**	va à l'hôpital
l	Les petits aussi, car ils	**xii**	a fait des petits pantins

Famille d'aujourd'hui, famille d'hier

Partir seule

Cette année, j'ai décidé de ne pas partir en vacances en famille. Jusqu'à l'âge de 15 ans, c'était sympa de partir avec Maman, Luc, son partenaire et ma sœur. Mais maintenant, je voudrais partir avec mes copains. J'ai choisi mon moment pour l'annoncer à ma mère. Dimanche, après le déjeuner, tout le monde était de bonne humeur alors au moment du dessert j'ai lancé : "Dis donc, qu'est-ce que tu dirais si cette année je partais en vacances avec Marie, Stéphane et Grégoire ?" Ma mère a eu l'air plutôt surpris, m'a demandé pourquoi je ne voulais plus aller avec eux, qu'on passait toujours de bonnes vacances ensemble. J'ai dû expliquer que maintenant, je voulais essayer des vacances différentes avec des amis de mon âge. Elle m'a posé des tas de questions sur l'endroit où nous avons l'intention d'aller, le moyen de transport, les campings… Tout était déjà bien organisé car nous en avons souvent discuté avec Grégoire. Alors, ma mère n'a pas pu refuser. Elle m'a dit que pour elle, c'était d'accord mais que je devais téléphoner à mon père pour le mettre au courant de mes projets et obtenir son accord. Avec lui, je sais qu'il n'y a pas de problèmes car il est moins protecteur que ma mère.

Je trouve que mes parents sont cool. Avec eux, on peut toujours discuter. Je me sens responsabilisée, mais aussi protégée en cas de besoin. Et ça, c'est super !

Élodie

Les dimanches étaient toujours semblables

D'abord, le matin, nous devions nous habiller différemment des autres jours, il fallait s'endimancher. Cela consistait à changer l'uniforme de l'école pour les habits réservés au dimanche, moins confortables, plus chics et qui nous empêchaient de jouer librement.

Il y avait ensuite le départ, en famille, pour la messe du dimanche. Mon père et ma mère en tête, nous allions retrouver nos places dans l'église. Nous devions les suivre sans rechigner, même à l'âge de 16 ans, car personne, ni mes frères ni moi-même, ni ma mère d'ailleurs, n'osait protester. Mon père n'acceptait aucune discussion et surtout aucune rébellion ! Au déjeuner, la famille se réunissait chez les grands-parents le plus souvent. A table, les enfants devaient impérativement "bien se tenir", ne pas faire de bruit, ne pas interrompre ou déranger les conversations des adultes. Les repas duraient, n'en finissaient pas ! On écoutait, on s'ennuyait, et on attendait impatiemment de retrouver nos amis à l'école le lundi matin.

Les souvenirs d'enfance de Monsieur Duhamel

1 Relevez dans le premier texte les expressions qui décrivent les rapports entre Élodie et ses parents :

Exemple :

L'attitude d'Élodie envers ses parents	L'attitude de ses parents
J'ai décidé de ne pas partir	*Ma mère m'a demandé pourquoi*

2 Relevez dans le deuxième texte tous les verbes et expressions qui :

a indiquent l'obligation pour les enfants d'avoir un certain comportement ; et
b décrivent l'attitude des parents (père, mère, famille).

Exemple :
a Nous devions nous habiller…

3 Comparez le type d'éducation qu'Élodie a reçue de ses parents avec celui de Monsieur Duhamel, en utilisant des expressions comme :

Élodie a le droit de…/peut…/a la chance de…
Alors que Mr Duhamel ne pouvait pas…/n'était pas autorisé à…/était obligé de/devait…

4 Travaillez à deux. Racontez un souvenir, une anecdote à votre partenaire. Expliquez quelles ont été les réactions de vos parents envers vous.

Exemple :
Je me souviens du jour où j'avais…
Mes parents m'ont appelé…

Débat-Discussion

5 Pensez-vous que les parents doivent laisser les enfants agir comme ils le désirent ou, au contraire, imposer des règles ? Que pensez-vous de la discipline ? De l'obéissance ?

Point-grammaire ....

Le comparatif de l'adjectif

voir page 150, §19–20 ▶

Avec lui il n'y a pas de problèmes car il est **moins protecteur que** ma mère.
*With him there are no problems, because he's **less protective than** my mother.*

... les habits réservés au dimanche, **moins confortables**, **plus chics**.
*... clothes reserved for Sundays, **less comfortable**, but **smarter**.*

Le superlatif de l'adjectif

voir page 150, §21 ▶

Le plus dur, c'est de n'avoir jamais de relais (= La chose **la plus dure**, c'est...)
***The hardest** (thing) is never to have anybody to take over.*

Les enfants **les plus touchés** sont ceux qui sont seuls.
*The children **most affected** are those who are alone.*

L'imparfait

voir page 159, §41–42 ▶

L'imparfait exprime un état ou une action continuée dans le passé.

1 Premier emploi : description au passé :

Les dimanches **étaient** toujours semblables.
Sundays were always the same.

2 Deuxième emploi : action souvent répétée :

Nous **allions** retrouver nos places dans l'église.
We used to go and find our seats in church.

La famille **se réunissait** chez les grands-parents le plus souvent.
The family most often gathered at our grand-parents' house.

Le verbe *devoir*

voir pages 164,169, §54 ▶

Ce verbe exprime l'obligation :

Moi, **je dois** rentrer avant 22 heures.
***I have to** be home by 10 o'clock.*

J'ai dû apprendre à dompter un fauteuil roulant.
***I had to** learn to cope with a wheelchair.*

A table les enfants **devaient** impérativement "bien se tenir".
*At table, the children **had to** sit up straight – or else!*

Pratique de la grammaire ....

Le comparatif de l'adjectif

Comparez les choses suivantes. Utilisez **plus... que** ou **moins... que**.

Exemple :
Les vacances de neige – les vacances au bord de la mer
Moi, je trouve que les vacances de neige sont **plus excitantes que** les vacances au bord de la mer.

a Les sports d'équipe – les sports individuels
b Les idées des jeunes – les idées des adultes
c Les problèmes des adolescents – les problèmes des parents

▶

Le superlatif de l'adjectif

Répondez à ces questions de la façon suivante.

C'est une chose **difficile** à supporter ?
Oui, c'est la chose **la plus difficile** à supporter.

a C'est un problème facile à résoudre ?
b C'est une question importante ?
c Ce sont des enfants travailleurs ?
d Ce sont des organisations actives dans ce domaine ?
e C'est une période malencontreuse ?

L'imparfait

Complétez la description qui suit avec la forme convenable de l'imparfait du verbe :

Ma grand-mère (être) une femme pas comme les autres. Elle (avoir) les yeux bleus et le regard perçant, ce qui (faire) peur aux petits. Nous n'(aimer) pas aller chez elle le dimanche, car elle n'(accepter) pas d'entendre parler les petits à table. Nous (devoir) nous taire, et on (s'ennuyer) terriblement. Mon petit frère (dire) toujours le dimanche qu'il (se sentir) malade, espérant ainsi éviter d'aller chez grand-mère. Moi, je (préférer) y aller, parce que je (savoir) qu'au départ, c'(être) son habitude de nous donner un morceau de chocolat !

Le verbe *devoir*

Choisissez la forme du verbe *devoir* qui convient :

a On .... respecter ses parents et ses prochains. (*dois/doit*)
b A cette époque-là, les enfants .... se taire à table. (*devait/devaient*)
c Moi j'............ réapprendre à faire du sport. (*ai dû/a dû*)
d Nous autres Français nous .... nous accoutumer aux autres cultures européennes. (*doivent/devons*)
e Mon père .... aller voir sa grand-mère tous les dimanches. (*devais/devait*)

Écoute **2**

Les rapports entre jeunes et adultes

Valérie nous parle de ses idées sur les jeunes d'aujourd'hui et leurs familles.

Vocabulaire

le milieu la couche de société, le secteur social

bourgeois de la classe sociale des professionnels – avocats, médecins, professeurs, etc.

aisé ayant assez d'argent

issu sorti, d'origine de

moins favorisé pas très riche

gratuit on ne paie pas ce qui est gratuit – on vous le donne

le foyer familial la famille ; la maison ou l'appartement où habite la famille

Écoutez ce que dit Valérie sur les jeunes d'aujourd'hui et leurs familles, et décidez si elle serait d'accord avec les affirmations suivantes.

a Les rapports entre adultes et enfants dépendent du milieu social dont on sort.
b Dans les milieux aisés les rapports sont pires que dans les milieux défavorisés.
c Dans les milieux défavorisés les enfants ont un plus grand désir d'être indépendants.

Lecture 4

Couples à temps compté

i Un week-end ensemble

Un phénomène du mariage moderne, c'est la multiplication des couples qui ne vivent ensemble que l'espace des week-ends. Les sondages révèlent 300 000 personnes travaillant à plus de 150 kilomètres de leur domicile. Motif ? La rareté des embauches, qui exige une mobilité totale, et la détermination des femmes à garder leur situation quoi qu'il advienne.

ii L'exemple de Sylvie et de François

Sylvie, 26 ans, et François, 27 ans, se connaissent depuis quatre ans. Elle est ingénieur à Paris, dans une grande entreprise du secteur agro-industriel. François, après six mois de recherche, vient d'accepter un emploi de consultant dans une ville de l'Ouest. "C'était à prendre ou à laisser. Malgré mon diplôme d'ingénieur-chimiste, je n'ai eu que des propositions sans avenir. Nous espérons tenir le coup un à deux ans…". Malgré huit heures de transport aller-retour, ils sont optimistes. "Nous nous organisons. Un week-end il vient à Paris, le suivant, je vais là-bas", commente Sylvie.

iv L'exemple de Bernard et de Claire

Bernard et Claire ont plus de 40 ans. Après un licenciement économique, il a dû quitter une entreprise électronique toulousaine et il a retrouvé un emploi dans la même branche à 200 kilomètres, dans une petite ville. Professeur, elle est restée à Toulouse avec leurs deux fils. Depuis sept ans il fait la navette en fin de semaine. "Je dois à la fois élever seule les enfants, réparer les prises de courant et lui remonter le moral au téléphone… Mais c'est moins dur que s'il était chômeur à la maison," dit Claire.

iii L'exemple de Pierre et d'Isabelle

Pierre, 30 ans, et Isabelle, 26 ans, ont déjà vécu cinq ans ensemble. Il gère un laboratoire pharmaceutique de la région parisienne. Elle est interne depuis un an (et encore pour deux ans et demi) dans un hôpital de Lyon. Mêmes contraintes matérielles (frais de transport, double logement…), mais seulement deux heures de TGV. "J'ai cherché à Lyon, explique Pierre. J'étais prêt à accepter 20% de salaire en moins. Mais pas à me saborder professionnellement. Je ne voulais pas qu'Isabelle me reproche un jour ma situation médiocre. De la même manière, pas question pour elle de tout lâcher pour s'installer généraliste à Paris."

v Conclusions

Le plus dur, ce n'est pas tellement de se voir peu. "On vit plus intensément quand on a peu de temps", affirment Pierre et Isabelle. Mais, pour les jeunes, tous les projets sont reportés. "Si la situation devait s'éterniser, je quitterais peut-être mon travail à Paris pour rejoindre François dans l'Ouest, confie Sylvie, car nous avons envie d'avoir des enfants".

1 Relevez l'information dans les textes pour remplir le tableau ci-dessous.

Noms	Age	Temps passé ensemble	Emploi	Ville de travail
Sylvie		4 ans	ingénieur	
François		4 ans	consultant	
Pierre	30			région parisienne
Isabelle				
Bernard			dans l'électronique	
Claire	plus de 40			Toulouse

2 A l'aide de ces définitions de dictionnaire, traduisez en anglais les expressions ci-dessous.

Exemple :
une embauche = *job vacancy*
la rareté des embauches = *the scarcity of jobs OR the lack of job openings*

a une proposition = *proposal ; suggestion*
je n'ai eu que des propositions sans avenir

b gérer = *to manage ; to administer*
il gère un laboratoire pharmaceutique

c saborder = *to scupper ; to put paid to (one's chances)*
pas à me saborder professionnellement

d licenciement = *redundancy*
après un licenciement économique

e reporter = *to postpone ; to put off*
tous les projets sont reportés

f s'éterniser = *to drag on and on*
si sa situation devait s'éterniser

3 Paragraphes **i** et **ii** du texte sont résumés ci-dessous, chacun par une seule phrase. En suivant ce modèle, composez une phrase pour résumer chacun des paragraphes **iii** et **iv**.

i **Un week-end ensemble**
A cause de leur travail, un grand nombre de couples mariés ne se voit que le week-end.

ii **L'exemple de Sylvie et de François**
Sylvie travaille à Paris et François dans l'Ouest et l'un d'eux doit voyager huit heures aller-retour pour voir l'autre au week-end.

iii **L'exemple de Pierre et d'Isabelle**

iv **L'exemple de Bernard et de Claire**

Point-grammaire · · · · · · · · · · · · · · · · · ·

Les adverbes de manière
voir pages 165–166, §57

... les habits qui nous empêchaient de jouer **librement**.
*... clothes which prevented us from playing **freely**.*

Nous devions nous habiller **différemment** des autres jours.
*We had to dress **differently** from the other days.*

Le comparatif des adverbes
voir page 150, §19

On vit **plus intensément** quand on a peu de temps.
*You live **more intensively** when you have little time.*

Parlez **plus lentement** s'il vous plaît.
*Speak **more slowly** please.*

Le superlatif des adverbes
voir page 150, §21

On déjeunait **le plus rapidement** possible.
*We used to eat lunch **as fast as possible** (i.e. in the fastest way possible).*

La famille se réunissait chez les grands-parents **le plus souvent**.
*The family would **most often** gather at my grand-parents' house.*

Pratique de la grammaire . . . .

Les adverbes de manière

1 Complétez le tableau suivant.

Adjectif masculin	Adjectif féminin	Adverbe
lent		
professionnel		
confortable		
impératif		
patient	⟶	

2 Choisissez un des adverbes du tableau, et insérez-le dans la phrase qui lui convient.

a Nous nous sommes .... installés devant le feu.
b Nous devions .... dire 's'il vous plaît' et 'merci'.
c Il fallait attendre .... l'arrivée du dessert.
d Les repas chez mes grands-parents passaient toujours très ....
e .... parlant, je pense que la vie des enfants a beaucoup changé.

Le comparatif des adverbes

Commentez les phrases de cet exercice de la façon suivante :

Cette tâche s'accomplit **rapidement**.
Oui, mais elle peut s'accomplir **plus rapidement**.

a On vit très intensément.
b On se conduit professionnellement.
c Nous participons activement à ces jeux.
d Philippe agit très intelligemment.
e Il parle couramment en ce moment.

Le superlatif des adverbes

Répondez à ces questions de la façon suivante :

Vous alliez souvent chez vos grands-parents?
Oui, nous y allions le plus souvent possible.

a Vous participiez activement aux jeux de société?
b Tu parlais lentement pour te faire comprendre de ton grand-père?
c Hélène faisait rapidement la vaisselle?
d Les garçons travaillaient consciencieusement?
e Votre avocat a agi professionnellement?

Écoute **3**

Interviews avec Valérie et Monsieur Henri

Notre interviewer a posé deux questions à Valérie, une jeune Normande, et à Monsieur Henri, un Breton à la retraite : Est-ce que la famille a moins d'importance aujourd'hui pour les jeunes ? La famille tient-elle toujours une place importante ?

◖◗ Écoutez ces deux extraits d'interviews. Valérie et M. Henri parlent de la famille. Qui dit... ?

a que certains parents refusent d'habiter avec leurs enfants ?
b que la structure familiale reste presque intacte ?
c que, pour les jeunes, les copains prennent plus d'importance que la famille ?
d que les jeunes ont toujours besoin d'une sécurité familiale ?
e que le mariage traditionnel est en diminution ?

Point-grammaire ....

Comment formuler des questions

- L'intonation ascendante
  L'ordre des mots ne change pas. La question ne se distingue que par l'intonation ascendante à l'oral et un point d'interrogation à l'écrit.
  Ça te dérange ?
  Does that upset you ?

- La locution **est-ce que** ?
  Est-ce que La famille a moins d'importance pour les jeunes ?
  Is the family less important to youngsters ?

- L'adverbe interrogatif
  comment ?, **combien ?**, **quand ?**, **où ?**, **pourquoi ?**
  Comment expliquez-vous cette évolution ?
  How do you explain this change ?
  On dirait aussi : Comment est-ce que vous expliquez... ?

- L'inversion du sujet
  Que faites-vous avec eux ?
  What do you do with them ?

- L'adjectif interrogatif
  quel, **quels**, **quelle**, **quelles**
  Quelle est votre opinion sur ces thèmes ?
  What is your opinion on these issues ?

Compétences orales et écrites . . . .

Exprimer une obligation

1 Quelles sont vos corvées de ménage ? Qu'est-ce que vous devez faire au lycée que vous n'aimez pas ? Quelles sont vos obligations sociales ? Voici l'occasion de vous plaindre de tout ce que la vie vous impose ! Parlez-en à votre partenaire. Utilisez les commentaires qui suivent les suggestions ci-dessous.

Obligations
Je dois + infinitif
Je suis obligé(e) de + *infinitif*
Je suis forcé(e) de + *infinitif*
... faire ma lessive
... ranger ma chambre
... rentrer avant 22 heures
... étudier des matières qui ne m'intéressent pas
... arriver avant 9 heures
... payer des impôts
... acheter une redevance de télévision (*TV licence*)
... respirer l'air pollué
... attendre l'âge de 18 ans pour voter

Plaintes
Ça m'énerve !
J'en ai marre !
J'en ai ras-le-bol !
J'en ai ma claque
Ça me prend la tête !

Raconter ses souvenirs

2 C'est l'an 2067 ! Vous parlez à vos petits-enfants de la vie à la fin du 20e siècle. Ils connaissent bien la réalité virtuelle, les voitures électroniques sans chauffeur, la télévision holographique, la télétransportation et les voyages réguliers en Australie par les fusées hyper-soniques. Mais c'était comment, votre enfance ? Expliquez-leur oralement comment était la vie d'autrefois.

A cette époque-là...
La vie était simple...
Il y avait...
... des voitures à essence
... des jeux-vidéos
... des ordinateurs gros comme...
On jouait/allait/faisait...
Il n'y avait pas de...
On allait dans ce qu'on appelait une école
Moi, j'aimais bien + *infinitif*

3 Trouvez des photos de votre jeunesse. Écrivez pour chacune une courte description. Si vous avez des diapositives, enregistrez sur cassette le commentaire de chaque diapositive.

Me voici à l'âge de sept ans.
A cette époque-là, on portait...
Voici ma chambre avec mon ordinateur.
Oui, cette machine-là, c'était un ordinateur !
Il fallait monter dans la voiture pour aller en ville.
Pas de télétransportation !
Il ne fallait pas porter un respirateur à cette époque-là.

7 La France des affaires

Contenu

 Le monde des affaires peut apparaître au premier abord très technicisé. Les bureaux sont aujourd'hui équipés de télécopieurs, de photocopieuses, d'ordinateurs… Pourtant c'est aussi un monde où il faut être capable de se présenter aux entretiens d'embauche, de travailler en équipe, gérer les conflits qui peuvent naître dans l'entreprise, savoir persuader les clients, négocier les prix. Dans ce monde aussi, savoir communiquer avec les autres reste primordial.

Société des Parfumeurs Associés

Zone Industrielle de Rechèvres
80 Boulevard du Prince
28 000 Chartres

Tel : 03-37-21-78-01
Fax : 03-37-21-78-02

> Monsieur Jean Duvivier
> Emballages Jourdain & Fils
> Zone Industrielle de la Liane
> Avenue du Parc
> 59 000 Lille

Chartres le 15 septembre 1998

Monsieur,

Ayant reçu les précisions que j'attendais, je suis maintenant en mesure de vous confirmer la commande dont je vous avais parlé. Nous voudrions 5.000 coffrets « Bagatelles » aux mesures suivantes :
7 cm de longueur sur 5 cm de largeur et 3 cm de profondeur.

Un médaillon décorera le dessus du coffret. Celui-ci doit se trouver au-dessus des lettres BAGATELLES, au centre du couvercle comme nous vous l'indiquons sur le croquis ci-joint. Si nos indications ne sont pas assez précises, faites-le moi savoir.

Comme nous l'avons fait auparavant, nous attendrons de recevoir des échantillons de notre commande pour vous donner le feu vert. Nous vous remercions à l'avance de bien vouloir nous les faire parvenir dès que possible.

Nous voudrions recevoir livraison de ces coffrets pour le 30 novembre au plus tard.

Pensez-vous pouvoir terminer la fabrication dans ces délais ?

En vous remerciant à l'avance de bien vouloir accuser réception de notre commande par fax, nous vous prions de croire, Monsieur, en nos sentiments les meilleurs.

Pierre Segonzac

Pierre Segonzac
Directeur de la Production

Lettre commerciale

1 Faites une liste de tous les mots ou expressions qui se réfèrent au monde des affaires.

Exemple : confirmer une commande

2 Sans regarder le texte, essayez d'abord de traduire en français les expressions anglaises suivantes ; puis retrouvez dans le texte les expressions françaises auxquelles elles correspondent.

- *to confirm the order*
- *we shall wait until we receive your samples*
- *as indicated on the enclosed diagram*
- *to have these boxes delivered*
- *within the specified time*

3 Relevez toutes les formules de politesse utilisées dans cette lettre et donnez leur équivalent en anglais.

Exemple : Monsieur,
Équivalent : *Dear sir,*

4 En vous servant des expressions et des formules de politesse utilisées dans cette lettre, écrivez une courte lettre à un magasin français de vente par correspondance. Vous avez vu dans leur catalogue un pantalon qui vous plaît. Commandez-le. N'oubliez pas d'indiquer la couleur choisie, la taille, le numéro de référence.

Lecture 2

Emballages Jourdain & Fils

Zone Industrielle de la Liane
Avenue du Parc
59 000 Lille
Tel : 20-55-44-41 Télécopie : 20-55-41-41

TELECOPIE (1 page)

EXPEDITEUR :
Jean DUVIVIER
Emballages Jourdain & Fils

DESTINATAIRE :
Pierre SEGONZAC
Parfumeurs Associés

DATE : 16 septembre 1998

MESSAGE

Monsieur,
Nous avons bien reçu votre lettre du 15 / 09.

Tout d'abord, je tiens à vous confirmer qu'il nous sera possible de vous fournir 5 000 coffrets «Bagatelles» aux mesures indiquées dans votre dernière lettre.

Vos indications et croquis concernant la place du médaillon sur le coffret me semblent suffisamment précises. Nous vous ferons parvenir des échantillons comme nous l'avons fait précédemment avant de commencer la fabrication.

Une précision cependant : vous n'indiquez pas la couleur choisie pour les lettres. S'agit-il d'un or mat ou d'un or brillant ?

En ce qui concerne la livraison, vous mentionnez la date du 30 novembre. Il me semble improbable d'être en mesure de compléter votre commande à cette date, nos usines étant fermées deux jours en novembre, le 1er et le 11 novembre, jours fériés.

Accepteriez-vous de repousser la date de livraison au 3 décembre ?

Dans l'attente de votre réponse, veuillez agréer mes meilleures salutations.

Jean Duvivier
Directeur de la Production

Fax réponse

1 Vous travaillez pour les Parfumeurs Associés. Votre chef Monsieur Segonzac est très occupé et il vous a demandé de vous charger de la communication de Jourdain et Fils. Lisez la lettre et prenez note des différents points à mentionner à Monsieur Segonzac.

Exemples :
Ils acceptent la commande.
Indications et croquis sont…

2 Remettez dans le langage parlé les expressions suivantes utilisées dans la correspondance écrite.

Exemple :
Je tiens à vous confirmer qu'il nous sera possible de vous fournir…
Nous pouvons fabriquer les coffrets que vous avez commandés.

a Il me semble improbable d'être en mesure de…
b Je suis maintenant en mesure de vous confirmer la commande.
c Faites-le moi savoir.
d Nous vous remercions à l'avance de bien vouloir…
e Pensez-vous pouvoir terminer… ?
f Accepteriez-vous de repousser la date ?

3 Monsieur Pierre Segonzac vous demande d'envoyer une réponse par télécopie à Jean Duvivier et de mentionner les points suivants :

– Il s'agit d'un or mat pour les lettres.
– Il sera de passage à Lille et viendra rencontrer Monsieur Duvivier le 25 septembre à Lille. Est-ce possible à 2h30 ?
– Inutile d'envoyer les échantillons. Il les prendra lors de sa visite.
– Impossible de repousser la date de livraison au 3 décembre. Le 1er décembre est la date impérative de livraison.

Le tour des locaux

Le représentant d'une société anglaise visite des locaux d'une firme française. Le Directeur des ventes va lui faire voir l'usine, et lui explique ce qui est à l'ordre du jour.

Mariez les débuts de phrases à leur fin pour en arriver à avoir un résumé de la conversation.

a   Le tour de l'usine
b   Mr Hooper pourra voir
c   Il parlera à dix heures
d   M. Albertau va lui montrer
e   L'apéritif avec le PDG
f   Cinq directeurs assisteront
g   La discussion concernera
h   Le tour

i   précédera le déjeuner.
ii   se terminera à 17 heures.
iii   au déjeuner.
iv   la distribution en Angleterre.
v   commencera à 9 heures.
vi   tous les produits de la firme.
vii   avec le Directeur du marketing.
viii des modèles futurs.

COMMENT RÉUSSIR DANS LE BUSINESS DU FITNESS

Pour les créateurs de nouvelles entreprises le secteur Forme-Santé a beaucoup d'avenir. Les centres de remise en forme fleurissent dans toutes les villes. Backrub en est un exemple. Backrub est une compagnie qui vient d'ouvrir à Paris des "Points détente". Voici les six étapes suivies avec succès par ses créateurs pour lancer cette nouvelle entreprise.

Investissez dans la forme
Backrub propose des massages minute.

Les créateurs
Ces jeunes gens de 26 ans ont créé leur premier salon de massage *Backrub*.

Le concept
Relaxation du dos – sans rendez-vous et habillé – par des massages rapides de 10 à 40 minutes sur des chaises ergonomiques.

Le chiffre clé
Prévisions de fréquentation par jour. 200 clients.

"Quelques instants de bien-être dans un m☺nde de stress"

Six étapes pour communiquer à moindre coût

Voici le plan de communication de *Backrub*, un nouveau salon de massage, à Paris, avenue Percier (8e).

1 Exposer clairement le concept
Le slogan de la plaquette – "Quelques instants de bien-être dans un monde de stress" – répond à une double attente : des temps de massage courts et un traitement efficace contre le stress.

2 Inviter les habitants du voisinage
Un mailing (Mediapost) a été envoyé à 50.000 habitants de quatre arrondissements. Les prospectus comportaient un coupon d'essai. Coût total de l'opération : 20.000 francs.

3 Cibler les cadres du quartier
Après consultation des annuaires des grandes écoles, un fichier de 10.000 cadres travaillant dans les sociétés du quartier a été constitué. Chacun a reçu une lettre et une invitation pour un essai.

4 Contacter des relais dans les entreprises
Pour trouver des prescripteurs au sein des sociétés du quartier, *Backrub* a aussi démarché, par téléphone puis par mailing, environ 250 directions des ressources humaines et comités d'entreprise. Message : vanter les bienfaits de leur concept en joignant à leur envoi un argumentaire paramédical qui explique comment vaincre facilement le mal de dos et venir à bout du stress.

5 Envoyer un dossier aux journalistes
La presse magazine est un relais d'opinion sur l'innovation et les bienfaits pour la santé. Une vingtaine de journalistes ont été contactés (téléphone puis dossier).

6 Créer un événement dans la rue
Pour assurer la promotion de leur salon, les dirigeants de *Backrub* vont organiser un happening avec des hommes sandwichs qui distribueront des tracts dans la rue.

1 Dans ce texte, vous rencontrez des termes utilisés principalement dans la langue des affaires. Voici ci-dessous les équivalents des mots ou expressions utilisés dans le texte. Essayez de retrouver pour chaque équivalent l'expression utilisée dans le texte.

Exemple :

Prospectus informant le client potentiel sur l'entreprise et le produit vendu = la plaquette

a Feuillet qu'on découpe ou détache et qu'on présente pour obtenir soit une réduction soit la gratuïté d'un objet ou d'un service.

b Viser, chercher à atteindre (une clientèle définie).

c Personne occupant un poste de responsabilité, de direction, dans une entreprise.

d Recueil publié chaque année et qui contient la liste des élèves de l'école année par année.

e Une collection de fiches, de cartons sur lesquels sont inscrits des renseignements concernant des personnes ou des produits.

f Personnes qui vont recommander un produit (ou une entreprise) auprès des personnes avec lesquelles ils travaillent.

g Contacter les clients potentiels par téléphone ou par courrier pour essayer de les convaincre d'acheter un produit.

h Texte qui présente des arguments pour convaincre un client.

2 Relevez dans le texte l'information suivante pour remplir le tableau ci-dessous :

a les actes ;

b les personnes ;

c les outils utilisés par ces créateurs pour promouvoir leur entreprise.

Actes	Personnes	Outils
Ils exposent	*Les habitants*	*le slogan*
Ils invitent		

3 Travaillez avec un(e) partenaire.

Vous êtes le téléphoniste engagé par *Backrub* pour contacter des clients. Essayez d'informer et de convaincre le client (votre partenaire) des bienfaits des massages que vous proposez. Utilisez les expressions suivantes.

Je vous assure que…   Vous vous rendrez compte que…
Il n'y a aucun doute que…   Il est prouvé que…

Ecrivez la lettre (et l'invitation pour un essai) envoyée par les deux créateurs de *Backrub* aux cadres de leur quartier. La lettre ne doit pas comporter plus de 60 mots. N'oubliez pas de mentionner :

a le stress qu'ils/elles subissent dans leur emploi

b les bienfaits du massage et de sa rapidité

c la proximité du "Point – détente"

d les qualifications des masseurs

Écoute 2

On négocie

Mr Hooper et M. Dufour discutent des conditions de paiement.

1 Ecoutez la conversation qui a lieu entre Mr Hooper et M. Dufour, et complétez cette transcription avec les mots qui conviennent.

Mr Hooper : Il me semble que votre offre est très intéressante, mais quelles sont vos .... de paiement ?

M. Dufour : Nous sommes prêts à accepter un virement bancaire 30 jours après .... de la commande.

Mr Hooper : Est-ce que vous accorderiez une remise pour règlement comptant sur toutes nos .... ?

M. Dufour : Oui, je peux vous accorder une .... de trois pour cent. Cela vous conviendrait ?

Mr Hooper : Oui, bien sûr. Et vos .... sont garantis combien de temps ?

M. Dufour : Nos prix sont garantis six mois après réception de la commande. Ça veut dire que si nous avons des .... vous ne serez pas touchés. Qu'en pensez-vous ?

Mr Hooper : A mon avis, tout cela est très raisonnable.

Lecture
4

Gérer un conflit de personnes dans une entreprise

LES COLLÈGUES

"Jacques et moi avons créé il y a 10 ans une société de communication. Jacques était alors journaliste. Très créatif, il possède un véritable don pour l'écriture et parvient à mettre en forme des documents arides. Moi, j'avais occupé des fonctions de gestion dans une entreprise de publicité. Nos rôles se sont donc répartis presque naturellement : pour moi, la gestion de notre affaire, pour Jacques, le côté créateur.

Tant que le marché était florissant, tout se passait bien. Mais quand la crise est arrivée nous avons dû licencier. L'ambiance entre Jacques et moi a commencé à se crisper, notamment sur ce problème des licenciements, qu'il m'a reprochés. Je lui ai expliqué que quand rien ne va plus, il fallait voir la réalité en face. Il m'a alors reproché de concentrer tous les outils de contrôle. Pourtant, si je n'étais pas là, l'entreprise serait vraiment en péril. Le ressentiment s'accentue et nous sommes en désaccord sur la marche à suivre pour relancer l'activité. Comment pourrions-nous procéder pour sortir de cette impasse ?"

RÉPONSE DE L'EXPERT

"Vous devriez commencer par établir une liste de vos points de désaccord avec votre partenaire, puis honnêtement, prendre conscience de vos rigidités personnelles. Vous pourriez persuader votre partenaire de suivre la même démarche. Si vous étiez prêts, tous deux, à mesurer votre responsabilité dans ce conflit, vous seriez capables de voir votre rôle dans sa résolution.

Vous devriez organiser une rencontre formelle avec votre partenaire pour discuter des enjeux actuels pour votre entreprise. Je vous conseillerais de demander la présence d'un tiers-arbitre ce qui éviterait que la discussion focalise sur des problèmes de personnalité."

1 Retrouvez dans le texte les mots ou expressions qui correspondent aux définitions suivantes.

a un talent pour ; une disposition innée pour ; une aptitude ; une capacité ; une facilité pour quelque chose.

b arriver à ; réussir à faire quelque chose

c difficile à lire ; sans agrément, sans intérêt, sans attrait

d administrer ; conduire ; diriger

e se diviser ; se partager

f aussi longtemps que

g en pleine expansion ; en plein développement

h supprimer des emplois ; renvoyer des salariés

i à devenir mauvaise ; difficile ; chargée d'agressivité

j en particulier ; surtout

k faire porter la responsabilité d'un acte ou d'une parole qu'on trouve mauvais à quelqu'un

l en danger

m la rancune ; l'animosité ; la malveillance ; l'hostilité ; la haine

n remettre en route/en train ; faire repartir

o agir ; s'y prendre

p situation sans solution ; sans issue

q convaincre

r ce que l'on peut gagner ou perdre dans l'entreprise

s une troisième personne, neutre, qui jugera qui a raison ou tort

t être centré sur ; concerne seulement

2 Répondez en français aux questions suivantes.

a Quelles sont les qualités respectives des deux partenaires qui profitaient à l'entreprise ?

b Qu'est-ce que les licenciements ont représenté :
pour Jacques ?
pour son partenaire ?

c Quelles sont les différentes étapes à suivre, selon l'expert, pour sortir de la situation actuelle ?

3 Relevez dans la réponse de l'expert toutes les expressions utilisées pour conseiller ses clients.

Exemples :
Vous devriez commencer par…
Vous pourriez persuader…

Point-grammaire . . . .

Le conditionnel voir page 158, §39–40 ➤

Le conditionnel s'emploie pour signifier qu'une situation pourrait se produire dans certaines conditions.

Si je n'étais pas là, l'entreprise **serait** vraiment en péril.
*If I weren't there, the business **would be** in serious danger.*

Comment **pourrions-nous** procéder pour sortir de cette impasse ?
*What **could we do** to get out of this impasse ?*

N.B. Le conditionnel du verbe **devoir** équivaut à **ought to**

Vous **devriez** commencer par…
*You **ought** to start by …*

Pratique de la grammaire . . . .

Le conditionnel

1 Mettez au conditionnel le verbe entre parenthèses. Consultez les pages 169–171 si nécessaire.

   a Mon partenaire a dit que nous ………… répartir nos rôles. (pouvoir)
   b Moi, je m'………… de la gestion, lui de la création. (occuper)
   c Quand la crise est arrivée, nous avons décidé qu'il ………… licencier. (falloir)
   d Si l'entreprise était florissante, tout le monde en ………… (profiter)
   e Si mon partenaire avait le contrôle de la société, on ………… certainement faillite. (faire)

2 Puisqu'il faut tenir un langage formel dans le monde des affaires, transformez les phrases suivantes en utilisant **vous** au lieu de **tu** (et **votre** au lieu de **ton**, etc.)

   a Tu pourrais commencer par dresser une liste des problèmes.
   b Tu devrais parler honnêtement à ton partenaire.
   c Tu aurais intérêt à établir les points d'accord.
   d Tu serais en mesure de résoudre amicalement ce petit problème.
   e Tu arriverais certainement à une solution en trouvant un tiers-arbitre.

Entretien d'embauche

Sophie Ansel a postulé pour un emploi de Responsable des Ventes à l'étranger dans une grande entreprise. Elle est convoquée à un entretien d'embauche avec le Directeur des Ressources Humaines, Monsieur Vincent.

1 🔲 Vous allez entendre dans l'entretien les mots ou expressions de la liste **a**–**g** ci-dessous. Pour chaque mot ou expression retrouvez la définition qui convient.

Exemple :
Directeur des ressources humaines = personne qui, dans l'entreprise, est responsable de trouver le personnel approprié.

  a postuler pour
  b couramment
  c se débrouiller
  d les compétences
  e dans le domaine de
  f une baisse
  g ça me plaisait

  i une diminution, moins de quelque chose
 ii aisément, facilement, avec aisance, naturel
iii dans tout ce qui concerne
 iv demander, solliciter
  v j'aimais, j'appréciais
 vi se tirer d'une situation difficile, arriver à résoudre une difficulté
vii des qualités, des capacités, des savoir-faire

2 Remplissez le tableau ci-dessous en relevant ce que Sophie raconte concernant ses compétences, ses expériences et ses objectifs durant l'entretien.

Compétences acquises	Expériences passées	Objectifs pour l'avenir
parle allemand		

3 En écoutant la dernière partie de l'entretien, relevez tous les verbes utilisés par Sophie pour décrire son travail pendant son stage aux États-Unis.

Compétences orales et écrites . . . .

Faire un stage

1 Vous voulez obtenir un emploi de vacances en France. Vous devez envoyer votre Curriculum Vitae. Établissez votre C.V., puis tapez-le sur ordinateur. Imitez le modèle ci-dessous.

2 Imaginez que vous avez fait cet été un stage dans un hôtel en France. Racontez vos expériences en les enregistrant sur cassette pour votre professeur.

Catherine PORCHEROT   **CURRICULUM VITAE**
1 rue du Crucifix
21800 CRIMOLOIS
Tél : 80 47 04 00

Née le 17 Mars 1967
Célibataire

FORMATION

1993	**Maîtrise en Droit Privé Mention Droit des Affaires**
	Etude de la fiscalité des entreprises, des procédures collectives, du droit cambiaire et bancaire
	Université de Bourgogne
1991	Licence en Droit
	Etude du Droit des Sociétés et du Droit du Travail
1987	BAC G3 (Notions de Dactylographie)
Langues	**Anglais** : lu, parlé, écrit
	Italien : lu, parlé, écrit couramment

EXPERIENCE PROFESSIONNELLE

Depuis 1991	Surveillante d'externat à mi-temps
Août 1989 et 90	CREDIT AGRICOLE – Chevigny-St.-Sauveur et Auxonne
	Stagiaire
	• Guichet et travail administratif
1989 - 90	KIABI
	Vendeuse (travail intermittent)
1988 - 90	Cours de soutien scolaire
Juin 1988	Saisonnière chez Télémécanique
1987	Stage de vente dans un magasin de Prêt-à-Porter (15 jours)

DIVERS

	• Trésorière de la Corporation des Etudiants en Droit de Bourgogne
	• Organisatrice des diverses activités de cette association – Type 190i Trivial Pursuit, Congrès étudiants, Conférences…
Sports	Tennis, Ski (niveau monitorat), Basket-Ball
Loisirs	Voyages (Espagne, Maroc, Réunion, Italie), lecture, cinéma

8 Santé et alimentation

Contenu

Hier, on mangeait ce qu'on voulait, et on se régalait de plats riches sans mauvaise conscience. Aujourd'hui, la cuisine minceur s'est imposée. Il faut, avant tout, être ou rester en forme. Et comment ignorer ce qu'il faut faire et ne pas faire lorsque médecins, diététiciens, nutritionistes ne cessent de nous donner des conseils sur la manière de vivre et l'alimentation appropriée. Ne pas manger trop de graisses, manger sainement et faire du sport sont devenus synonymes de se maintenir en forme.

Lecture 1

Forme et Santé :
Quelques règles à retenir...

- Équilibrez. Adoptez quotidiennement et définitivement une alimentation variée et raisonnable.
- Si vous déjeunez en dehors de chez vous ou au bureau, surveillez votre menu.
- Une seule boisson est indispensable : l'eau. 1,5 litre par jour est un minimum.
- Privilégiez les aliments riches en vitamines, sels minéraux, et autres nutriments essentiels (comme les légumes, les produits laitiers, les poissons).
- Sachez lire les étiquettes. Théoriquement, toutes les informations utiles apparaissent : ingrédients, calories, valeur nutritionnelle.
- Ne vivez pas avec la terreur de la balance.
- Bougez !
- Soyez bien… et faites-vous plaisir.

1 Mettez dans l'ordre les phrases suivantes, pour obtenir un résumé de cet article.

a Faites du sport !
b L'essentiel, c'est de boire, et surtout de l'eau.
c Ne permettez pas que votre poids règle votre vie.
d Suivez un régime sain et intéressant.
e Restez en forme et amusez-vous bien !
f Faites attention au contenu de vos paquets !
g Mangez surtout les bons aliments naturels.
h Si vous mangez à l'extérieur, faites bien attention à ce que vous consommez.

2 Cherchez dans un dictionnaire le sens des mots suivants.

quotidiennement
définitivement
privilégier
apparaître
la balance

Certains de ces mots ressemblent à des mots anglais. Est-ce que le sens en est exactement pareil ?

3 **Révision**.
Regardez la grammaire des impératifs à la page 156. Faites une liste des impératifs (positifs et négatifs) apparaissant dans cet article. Pourquoi y a-t-il plus de positifs que de négatifs ?

4 Discutez avec un(e) partenaire. Est-ce que vous suivez les règles qu'on recommande dans cet article ? Sinon, qu'est-ce que vous faites ? Qu'est-ce que vous ne faites pas ? Faudrait-il en quelque sorte changer votre mode de vie ?

FORME – EN AVANT, MARCHE !

La nouvelle façon de marcher est en train de nous séduire : ça ne secoue pas comme le jogging et c'est aussi efficace pour le système cardio-vasculaire, pour les muscles et contre le stress.

A quel moment ? Le meilleur moment, en ville, c'est en début de matinée : l'air est moins pollué. Et, partout ailleurs, pas après un repas copieux. On s'essouffle.

A quel rythme ? A partir de 6 km/h, en veillant à ne pas dépasser votre rythme cardiaque maximal : environ 150 pulsations/minute entre 20 et 30 ans.

Combien de temps ? A partir de trente minutes de marche rapide, vous commencez à brûler du gras. Et, à partir de trois heures de marche par semaine, vous vous raffermissez et vous pouvez manger plus sans grossir. Faites vos comptes.

Sur quel terrain ? Plat. En gravissant des côtes ou en augmentant l'inclinaison du tapis roulant au delà de 2 %, on consomme plus de calories, mais on muscle en force cuisses et fessiers.

1 Trouvez dans le texte les expressions ayant le même sens que les suivantes :

the new way of walking
early in the morning
your maximum heart rate
after thirty minutes
check your figures
you put muscle onto

2 Cet article consiste en une introduction et quatre paragraphes. Complétez les questions abrégées des paragraphes 1, 2, 3 et 4.

Exemple :
A quel moment ?
A quel moment faut-il faire de la marche ?

3 Examinez l'illustration. Donnez à votre partenaire des conseils sur la marche en utilisant les expressions suivantes :

On doit tenir…   Il faut s'assurer de…
Il faut avoir…   Il faut surtout…
Il faut tenir…   Il ne faut pas…
Il vaut mieux…   N'oubliez pas de…

Exemple :
Il faut tenir la tête bien haute.

Point-grammaire . . . .

La négation de l'infinitif voir page 166, §58

Quand le verbe est à l'infinitif, les deux élements **ne pas** (ou **ne jamais**, **ne point**, etc.) sont placés devant cet infinitif.

en veillant à **ne pas dépasser** votre rythme cardiaque maximal
by taking care not to go beyond your maximum heart rate

pour être sûr de **ne jamais manquer** de vitamines
to be sure of never lacking vitamins

Pratique de la grammaire . . . .

La négation de l'infinitif

Regardez encore une fois la *Lecture 1*, *Forme et santé*, à la page 86. Là, on vous donne des conseils positifs, c'est-à-dire qu'il faut se résoudre à faire certaines choses. Par contre, pour bien maintenir sa forme et la santé il faut se résoudre à ne pas faire d'autres choses.

Exemple :
Il faut se résoudre à ne pas boire d'alcool.

Discutez des possibilités avec un(e) partenaire et, en utilisant **ne pas** + *l'infinitif*, faites une liste des choses qu'il ne faut pas faire. Choisissez une expression ou un mot dans chacune des trois colonnes pour en faire une phrase.

Exemple :
Il faut se résoudre à **ne pas** boire d'alcool.

Il faut se résoudre à…	boire	très tard
On doit s'habituer à…	manger	chips
On doit se contenter de…	se coucher	drogue
Il faut se borner à…	consommer	cigarettes
On doit prendre l'habitude de…	fumer	alcool

Écoute
1

Interview avec Monique

Monique exprime ses opinions sur les femmes françaises, la forme et le poids.

1 🔘 Dès la première écoute, essayez de relever tous les mots utilisés par Monique touchant au vocabulaire de la "forme".

2 🔘 Après une deuxième écoute, essayez de répondre aux questions suivantes.

a Par quelle expression Monique remplace-t-elle le mot "obsédé" utilisé par le journaliste ?

b Selon elle, quelle est l'attitude de la femme française ?

c Selon Monique à quoi sont liés les problèmes de poids, de quel "ensemble" font-ils partie ?

d Quels sports Monique pratique-t-elle ou a-t-elle pratiqués ?

e Pour quelles raisons Monique pratique-t-elle ces sports ?

f Que sacrifie-t-elle à la pratique de ces sports ?

3 Remplacez les verbes ci-dessous dans le transcript en utilisant le mode du verbe qui convient : l'indicatif présent ou l'infinitif.

Exemple :
Je vais dans une salle de gym.

| se laisser aller | remplacer | aller | marcher | croire | pouvoir |
| faire | garder | manger (2 fois) | savoir | | |

Monique : Je .... dans une salle de gym. Alors, c'est vrai que ça .... le repas traditionnel français, mais ce n'est pas un gros problème. Je marche aussi quand je .... et aussi souvent que possible. Je crois qu'il faut .... sacrifier, ... des choix.

Question : Mais toi, Monique, c'est évident, tu fais attention à ce que tu ...., tu .... la ligne !

Monique : Je fais attention à ce que je ...., mais il y a beaucoup de femmes comme ça. Il ne faut pas .... Mais ce n'est pas une obsession.

La diététique anti-stress

Le stress est une réaction normale de notre organisme, inscrite dans notre système hormonal. Stimulé par l'adrénaline, notre cœur bat plus vite et plus fort, notre tension s'élève, notre foie se vide des réserves de sucre pour que nos muscles et notre cerveau puissent réagir rapidement. Nos glandes produisent une hormone semblable à la cortisone pour renouveler ces réserves de sucre mais en diminuant nos défenses et en affaiblissant notre résistance.

C'est l'overdose de stress que chacun ressent à sa manière : fatigue, surtout le matin, mal de tête, palpitations cardiaques, «brûlure» à l'estomac, éruptions sur la peau, baisse du désir sexuel, trous de mémoire... Car le stress n'est pas une maladie précise mais le facteur déclenchant de nombreux troubles de santé. Pour éviter que ces maux passagers ne dégénèrent en véritables maladies, vous pouvez parfaitement sélectionner ce que vous mangez pour renforcer la résistance de votre corps. C'est le but d'une diététique anti-stress.

Une alimentation mal équilibrée est en elle-même une cause de stress. Premier ennemi en ce domaine, le sucre, et plus généralement les sucres rapides. Sont donc déconseillés le sucre blanc, mais aussi les confitures, les gâteaux et les sodas comme le coca-cola. Remplacez-les par des sucres lents contenus dans les fruits frais ou cuits, le miel, les fruits secs ou les jus de fruits naturels.

Ensuite les graisses saturées, graisses animales contenues dans les viandes rouges et les laitages gras. Préférez les viandes blanches et maigres, les poissons, les fromages à 0 % de matière grasse.

Enfin, les aliments raffinés, «blanchis» qui provoquent une mauvaise absorption des minéraux et sont souvent pauvres en vitamines. Choisissez plutôt des céréales, du pain complet et des pâtes. L'apport vitaminique et minéral est essentiel à un fonctionnement optimal du système hormonal qui gère le stress.

Une diététique anti-stress vous ramène aux principes d'une alimentation plus simple dont les principes sont reconnus par tous et que chacun peut adapter en fonction de ses préférences.

1 Relevez dans le texte les éléments appartenant aux différentes catégories de la grille ci-dessous :

Parties du corps	Troubles de santé
le cœur le foie	fatigue

2 Reformulez ces phrases brouillées et décidez si elles correspondent à ce que recommande le texte.

a essentielle sucres Une est lents des réduction consommation la de

b faut consommation Il sa matières de grasses augmenter

c vaut remplacer raffinés Il par mieux les complet pain du et aliments pâtes des

d minéral est vitaminique et L'importance l'apport minimale de

e suivant de diététique stress peut cette En on réduire niveau son

3 Relisez les Lectures 1, 2 et 3. Relevez dans ces textes les conseils donnés sur la santé. Classez-les dans le tableau ci-dessous. Notez les textes dans lesquels apparaissent les conseils donnés, comme dans l'exemple.

Nourriture	Lecture	Boissons	Lecture	Exercice	Lecture
poissons	1, 3	eau	1		

Point-grammaire . . . .

Le participe présent   voir page 165, §55

Le participe présent est la partie du verbe qui donne l'idée de simultanéité ou de cause.

En diminuant nos défenses et **en affaiblissant** notre résistance
By reducing our defences and by weakening our resistance

Le facteur **déclenchant** de nombreux troubles de santé
The factor causing many health problems

L'article partitif et les quantités   voir page 148, §12–13

1 Les articles partitifs (qui correspondent en général à *some* et *any*) ont les formes **du**, **de la**, **de l'** et **des**.

Est-ce qu'il reste **du pain** ? – Non, mais il y a **des petits pains**.
Is there any bread left ? – No, but there some rolls.

2 Il faut exprimer l'article partitif en français même s'il est sous-entendu en anglais.

Choisissez plutôt **des céréales**, **du pain** complet et **des pâtes**.
Instead, choose cereals, bread and wholemeal pasta.

3 Après les noms qui expriment la quantité et le nombre, on utilise **de**, et non pas l'article partitif.

Prenez **un kilo de** farine, **une demi-douzaine d'**œufs et **un litre de** lait.
Take a kilo of flour, a dozen eggs and a litre of milk.

Pratique de la grammaire . . . .

Le participe présent

Relisez les Lectures 1, 2 et 3. Faites une liste des moyens par lesquels on peut réduire le stress et prendre de la forme. Utilisez **en** + *le participe présent*.

Exemples :

On peut prendre la forme…
… **en adoptant** un régime varié et intéressant.
… **en marchant** tous les jours à un bon rythme.

On peut réduire son stress…
… **en évitant** les sucres et les matières grasses.
… **en buvant** des jus de fruits.

L'article partitif

Complétez les phrases suivantes avec la forme du partitif qui convient.

Pour rester en forme, il faut avoir une alimentation bien équilibrée – ……….. pain complet, ……….. pâtes, ……….. céréales, ……….. légumes, ……….. poisson et ……….. produits laitiers. Pour réduire le stress, il vaut mieux manger ……….. miel que ……….. confiture, et mieux vaut boire ……….. jus de fruits plutôt que ……….. café ou ……….. thé.

Les quantités

Complétez la liste suivante avec la quantité qui convient.

Exemple :
……….. d'œufs
Une douzaine d'œufs

a ……….. de vin rouge
b ……….. d'ail
c ……….. de sucre
d ……….. de farine
e ……….. de café
f ……….. de beurre

| un kilo | une gousse | une plaquette | une tasse | une bouteille | un paquet |

La cuisine minceur

Monique discute des habitudes diététiques changeantes des Français.

1 〔oo〕 En écoutant la première partie de l'interview, notez ci-dessous toutes les caractéristiques de la "cuisine minceur" énumérées par Monique.

a Les attitudes envers cette cuisine
b Un exemple d'aliment minceur
c Les caractéristiques des plats minceur

2 〔oo〕 Après une deuxième écoute, remplissez le tableau ci-dessous en soulignant les différences entre la cuisine minceur et la cuisine actuelle.

	Cuisine minceur	**Cuisine actuelle**
Attitudes		
Préparation		
Aliments cités		
Matières grasses		
Type de produits		

3 〔oo〕 En écoutant la deuxième partie de l'interview, relevez dans les deux colonnes ci-dessous ce que Monique dit concernant les habitudes alimentaires des hommes et des femmes.

	Hommes	**Femmes**
Endroit où les repas sont pris		
Type de repas		
Aliments consommés		

4 En vous aidant des renseignements fournis par Monique, notez comment dans le passé s'organisaient les journées des femmes et des hommes.

Exemple : Les femmes ne travaillaient pas. Elles…

5 Maintenant, combinez tout ce que vous avez écrit dans votre liste pour en faire un petit paragraphe à l'imparfait.

Lecture 4

21 raisons d'être gourmand(e)

La gourmandise, c'est le luxe du palais. Le palais, quel joli mot. Qui dit palais, dit reine. La reine c'est moi.

La gourmandise, c'est humer les parfums, les épices, toucher, écouter (le chef qui vous met l'eau à la bouche). Elle mobilise nos sens et les met en émoi. La gourmande est gourmande de tout. Elle fait envie. Elle est curieuse. Elle sait vivre, elle ne s'empêche pas de vivre. Elle sait s'amuser. On la reconnaît à son regard qui pétille.

Il vaut mieux faire envie que pitié. Les femmes gourmandes attirent les hommes gourmands. Et les plus gourmandes sont les plus généreuses. On dit qu'en regardant une femme manger, on sait si, au lit…

C'est un peu ça, la gourmandise. Une autre forme d'expression corporelle.

1. **Je suis gourmande parce que je ne vois pas de bonnes raisons de résister à la tentation.**
2. Parce que ce n'est pas un péché qui coûte cher.
3. **Parce que c'est toujours ça de pris.**
4. Parce qu'il est urgent de se faire plaisir.
5. **Parce que le pot de confiture, le paquet de biscuits, ça me permet de retrouver mon enfance.**
6. Parce que tout le monde veut maigrir et, moi, je n'aime pas faire comme tout le monde.
7. **Parce que si on n'est pas gourmande en vacances, alors quand ?**
8. Parce que c'est un plaisir solitaire.
9. **Parce que c'est un plaisir collectif.**
10. Parce que la table crée des liens entre les gens. C'est un vecteur de complicité.
11. **Parce que, ainsi, j'honore la cuisine de ceux qui m'invitent.**
12. Parce qu'il y a des boulangeries à tous les coins de rues.
13. **Parce que tu me manques et, qu'en attendant de te retrouver – de te trouver – il y a les pêches, les gaspachos, et les tartines de tapenade.**
14. Parce que tu me trouves belle quand j'ai de l'appétit.
15. **Parce que c'est une belle façon d'exprimer sa créativité. Dans ma cuisine, j'affûte mes idées pour te, vous, nous faire fondre.**
16. Parce que ça me rend curieuse du monde, des pays, des régions, des peuples, des traditions, des cultures.
17. **Parce que, quand je mange douze huîtres, j'ai l'impression d'avoir passé ma semaine en Bretagne ; quand je mange un poulet tandoori, je vois presque le Taj Mahal.**
18. Parce que je suis vivante et entends bien le rester, de cette façon-là, avec ce sourire-là.
19. **Parce que ça ne nuit pas à autrui. Franchement, ce n'est pas un péché capital.**
20. Parce que je ne suis pas une hypocrite : je ne commande pas une salade verte pour voler les pommes de terre à l'ail de mon voisin.
21. **Parce que j'ai essayé de ne plus l'être. Ça ne marche pas. Chassez le naturel, il revient au galop.**

1 Quelles raisons correspondent aux expressions synonymiques suivantes.

Exemple :
Parce qu'on en jouit tout(e) seul(e). = 8

a Parce que je suis attirante quand je mange.
b Parce que manger, c'est être animé(e), et je veux l'être.
c Parce que ça ne fait pas de mal à qui que ce soit.
d Parce qu'il ne faut pas beaucoup dépenser.
e Parce que cela me donne envie d'élargir ma connaissance du monde.
f Parce qu'on en jouit avec ses ami(e)s.
g Parce que je ne peux plus m'empêcher d'être gourmand(e).

2 Parmi les 21 raisons d'être gourmand(e), choisissez-en cinq qui vous semblent les plus importantes. Classez-les par ordre d'importance et donnez les raisons de cet ordre.

3 Êtes-vous gourmand(e) ? Donnez dix raisons de cette gourmandise.

Exemple :
Je suis gourmand(e) parce que j'ai envie de tout essayer, de tout manger, de tout déguster.

Point-grammaire . . . .

Le pronom *on*

Le pronom **on** n'a pas de référence directe. On l'emploie pour désigner une ou plusieurs personnes. Il correspond donc aux pronoms anglais *you*, *one* ou *people (in general)*. Il est suivi de la troisième personne du verbe.

On s'essouffle = **You** get out of breath

En gravissant des côtes **on** consomme plus de calories.
Climbing up hills uses up more calories. (= **one** *uses up more calories*)

Les verbes impersonnels   voir page 165, §56 ▶

Il vaut mieux faire envie que pitié.
It is better to *make people envy rather than pity you.*

… **il y a** les pêches, les gaspachos…
… ***there are*** *peaches, gaspacho soup …*

Pratique de la grammaire . . . .

Le pronom *on*

Relisez la *lecture 2* qui s'intitule *Forme : En avant, marche !* Dans le paragraphe "Combien de temps ?", remplacez tous les exemples de **vous** par **on** (**se**, **soi**, etc.) en utilisant la forme du verbe qui s'impose. Que faut-il faire de la dernière phrase ?

Exemple :
Vous passez vingt minutes…   **On passe** vingt minutes…

Les verbes impersonnels

Insérez dans les phrases suivantes les expressions impersonnelles qui s'imposent.

a Qu'est-ce qu'on va manger comme hors-d'oeuvre?
.... une salade de tomates.
b Est-ce qu'on va se mettre à la table tout de suite?
Non, je pense qu'................. attendre l'arrivée des autres.
c On part pour le restaurant?
Mais, non. Regarde ! .... à verse.
d Est-il possible que les autres invités aient pris du retard?
.... qu'ils soient en retard, mais j'en doute.
e C'est une question de savoir si le traiteur peut tout fournir?
Oui, s'................. de nourriture.

Interview radio

Docteur Pierre Corson accorde une interview à la radio et nous présente son livre intitulé *Notre ange gardien la vitamine C*.

1 Avant d'écouter la première partie de l'interview, cherchez dans votre dictionnaire le sens des mots et des expressions suivants.

lutter contre
prémunir
une chute
moins
guérir

2 En écoutant la première partie de l'entretien, vous entendez deux expressions utilisant le mot "coup". Relevez ces deux expressions. Puis dites à quelle définition correspond chacune de ces expressions.

a Redonner de l'énergie, de la force.
b Faire ou dire quelque chose qui ne sert à rien, qui n'apporte rien, qui est finalement inutile.

3 Faites une liste des maladies citées au début de cet entretien.

4 Selon ce médecin :

    a Quelle relation y a-t-il entre les maladies et la vitamine C ?

    b Quel est le principal symptôme de ces maladies ?

5 Écoutez la deuxième partie de l'interview. Retrouvez dans l'entretien les mots utilisés par le docteur et qui correspondent aux définitions suivantes.

Endroit où on élève les lapins.
Endroit où on élève les poules.
Le fait d'assurer l'arrivée dans les villes de tous les nécessaires à la vie courante et spécialement les produits de consommation alimentaire.
Nous manquons de…
Mettre en mouvement.

6 Relevez au cours de cet entretien tout le vocabulaire qui appartient d'une part, à la campagne, et d'autre part, à la ville.
Exemple :

La campagne	La ville
Un jardin	population urbanisée

7 Lisez les questions ci-dessous. Pendant la deuxième écoute, prenez des notes. Puis à partir de ces notes, répondez aux questions par des phrases complètes.

    a Pourquoi selon le docteur est-ce une "chance" de vivre à la campagne ?

    b Pour quelles raisons les aliments que consomment les citadins ont-ils perdu leur vitamine C ?

Compétences orales et écrites . . . .

Persuader et convaincre

Voici une liste d'expressions à utiliser pour persuader et convaincre quelqu'un. Utilisez ces expressions dans les deux exercices suivants.

Vous pourriez	Je vous conseillerais plutôt	Je suis sûr(e) que
Vous devriez peut-être	Selon moi	Je suis personnellement convaincu(e)
Je crois que vous feriez mieux	Si j'étais vous	A votre place
Vous pouvez me croire	Croyez-moi	Il est prouvé que

1 Travaillez avec un(e) partenaire (A et B).

A : Essayez de convaincre votre ami(e) de venir avec vous.
Vous pensez que vous ne bougez pas assez et que vous devriez faire plus de sport. Vous avez décidé d'aller régulièrement à la piscine, puis de faire une demi-heure de jogging pour vous remettre en forme avant les vacances, mais vous ne voulez pas y aller seul(e).

B : Vous savez que vous devriez faire plus de sport, mais vous êtes un peu paresseux(-se) et vous avez bientôt des examens.

2 Vous travaillez comme serveur(se) dans un restaurant. Aujourd'hui, il n'y a plus de poulet. Or, votre premier client avait justement choisi le Poulet au vinaigre. Essayez de le convaincre de choisir l'un des autres plats.

MENU

Crudités
Potage de légumes
Terrine de campagne
Omelette au fromage

Poulet au vinaigre
Bœuf Bourguignon
Truite Meunière
Porc à l'Orientale

Plateau de fromage
Crème caramel
Gâteau au chocolat
Tarte Tatin

9 Les médias

Contenu

Les médias jouent dans notre société un rôle de plus en plus important. La radio devient un point de repère pour beaucoup de jeunes, et de nouvelles chaînes de TV sont actuellement à la disposition des téléspectateurs. Ces deux domaines médiatiques offrent bien des possibilités aux journalistes et aux professionnels de la technique. Le cinéma continue à exercer une influence considérable. Quelle sera l'importance de la réalité virtuelle dans les cinémas de demain ?

Passeport pour films à 10 balles

Pour la seconde année consécutive, la Fête du cinéma a lieu pendant trois jours, dans toutes les salles de France avec une nouveauté : le carnet-passeport… Dans cette semaine exceptionnelle pour la promotion des films, la Fête du cinéma entraîne en effet une hausse sensible de la fréquentation en salles – le deuxième film de Cédric Cahn, «Trop de bonheur» (sur l'adolescence et les vertiges de l'amour) figure au dernier rang des sorties. A côté de l'escadrille de nouveaux films américains, trouvera-t-il son public ? C'est tout le bonheur qu'on lui souhaite.

Cette année, le carnet-passeport (fourni avec un mini-agenda) remplace le billet-passeport. Pour le reste, la formule n'a pas changé : pour le prix d'un billet plein tarif, vous disposez d'un passeport qui donne accès à toutes les séances suivantes, moyennant dix francs par film.

❶ Choisissez parmi les définitions des expressions suivantes celle qui vous semble la bonne.

a La fête du cinéma a lieu pendant trois jours.

  i La fête du cinéma a été retardée de trois jours.
  ii La fête du cinéma se déroule sur trois jours.
  iii La fête du cinéma commencera d'ici trois jours.

b La Fête entraîne une hausse sensible de la fréquentation en salles.

  i La Fête provoquera une augmentation raisonnable de la fréquentation des cinémas.
  ii La Fête provoquera une importante augmentation de la fréquentation des cinémas.
  iii La Fête provoquera une légère augmentation de la fréquentation des cinémas.

c A côté de l'escadrille de nouveaux films américains…

  i Étant donné la forte concurrence de nombreux films américains…
  ii Vu qu'il y a beaucoup de films américains sur la marine…
  iii Si on respecte la qualité des nouveaux films américains…

d Pour le reste, la formule n'a pas changé.

  i Pour tous les autres spectateurs, les films sont les mêmes.
  ii Pour voir les autres films, il faut toujours remplir un formulaire.
  iii A part cela, rien n'est différent.

2 Trouvez dans le texte l'équivalent français des expressions suivantes. Notez la différence d'emploi des prépositions.

Exemple :
*The Cinema Festival is taking place **over** three days.*
La Fête du cinéma a lieu **pendant** trois jours.

a *During this exceptional week…*
b *A noticeable increase in cinema attendance*
c *(about adolescence and the dizziness of love)*
d *among the latest releases*

3 Que pensez-vous de l'idée d'un carnet-passeport ? Pourquoi ne pourrait-on pas en avoir un pour le cinéma de votre ville ? Ecrivez une lettre au directeur de votre cinéma local pour lui proposer cette idée (voir *lettre modèle* à la page 130). Les expressions suivantes pourraient vous être utiles.

- Dans le but d'augmenter la fréquentation des salles…
- Étant donné le prix d'un billet…
- Le rapport prix/film
- Il vaudrait peut-être mieux + *infinitif*
- Je suis sûr(e) que…
- Une période d'essai
- Au cas où vous accepteriez cette idée…
- Dans l'attente de vous lire…

Point-grammaire . . . .
Les adjectifs démonstratifs
voir page 152, §24

Dans **cette** semaine exceptionnelle pour la promotion des films…
*During **this** exceptional week for film promotion…*

Cette année, le carnet-passeport remplace le billet-passeport.
***This** year, the season-pack replaces the season-ticket.*

Ce genre d'application existe déjà pour certains jeux, aux États-Unis et au Japon.
***This** type of application already exists for some games in the United States and Japan.*

Pratique de la grammaire . .
Les adjectifs démonstratifs

1 Complétez les phrases suivantes avec la forme correcte de l'adjectif démonstratif.

Exemple :
………… carnet-passeport vous donne accès à tous les films de la semaine.
Ce carnet-passeport vous donne accès à tous les films de la semaine.

a ………… mois vous pouvez vous offrir un régal cinématographique.
b Il faut profiter au maximum de ………… offre spéciale.
c Je n'ai vu aucun de ………… films qui passent.
d Que pensez-vous de ………… horaire ?
e *Gorilles dans la Brume* est un excellent film sur ………… animal qui est en voie de disparition.

2 Traduisez en français.
a I'd like to have one of those season-packs.
b Several excellent films are showing this week.
c This cinema has a special offer this month.
d These leaflets will give you an idea of the season.
e What do you think of those advertisements?

Lecture
2

La radio et les jeunes

C'est incontestable, la radio fait partie de l'univers des jeunes. Selon une récente enquête Médiamétrie, 95 % des 14–19 ans l'écoutent "tous les jours ou presque". Détail significatif : depuis quatre ans, l'audience des chaînes de télévision est en perte de vitesse sur la tranche des 15–24 ans. Au banc des accusés : cassettes et jeux vidéo, magnétoscope et… radio.

Aux alentours de 20h (tranche horaire la plus convoitée par le petit écran), l'audience de certaines radios FM grimpe en flèche. L'émission *Lovin'Fun*, sur *Fun Radio*, dépasse le million d'auditeurs chaque soir. Fait sans précédent dans les sondages : au premier trimestre 1995, NRJ se classe troisième radio française, devant *Europe 1* ! C'est évidemment pour la musique et les émissions interactives (privilégiant le dialogue en direct) qu'on allume son poste en priorité. Ce phénomène est pourtant loin d'être nouveau. Les émissions qui "cartonnent" aujourd'hui sont, pour la grande majorité, de vieilles recettes remises au goût du jour.

Ainsi en va-t-il de *Lovin'Fun*, qui n'est pas autre chose que l'adaptation d'une émission de Ménie Grégoire sur RTL, dans les années 70. A cette époque, *Europe 1* parlait déjà ouvertement de la drogue ou de l'homosexualité dans son émission *Campus*. Aujourd'hui, à defaut d'inventer, on formate. En clair, on offre du sur-mesure répondant aux attentes des moins de 25 ans.

Pour Pierre Reynaud, de l'association *Vive la radio* (dont l'objectif est de promouvoir ce média), on assiste à un bouleversement des générations qui écoutent la radio. Selon lui, les jeunes aiment ce média "parce qu'ils ont besoin de faire un apprentissage et d'avoir une certaine forme d'indépendance par rapport au monde adulte qu'ils découvrent".

1 Repérez dans le texte tous les mots qui se réfèrent aux médias et faites-en une liste.

Exemples : la radio, l'audience

2 Dans ce texte, l'auteur utilise beaucoup de métaphores. Examinez les métaphores suivantes, et mariez ces exemples aux explications qui suivent.

Exemple :
au banc des accusés = le responsable de ce phénomène

a au banc des accusés
b l'audience… est en perte de vitesse
c aux alentours de 20 heures
d l'audience de certaines radios grimpe en flèche
e on offre du sur-mesure
f on assiste à un bouleversement des générations

i le responsable de ce phénomène
ii certaines audiences augmentent d'une façon spectaculaire
iii vers huit heures du soir
iv on donne exactement ce qui est exigé
v il s'agit maintenant des enfants, et non pas des parents
vi il y a de moins en moins de gens qui écoutent

3 Mettez dans le bon ordre les phrases suivantes pour obtenir un résumé du texte.

a Tous les soirs certaines radios attirent un auditoire d'envergure.

b En écoutant la radio, les jeunes affirment leur identité.

c Les jeunes aiment surtout les programmes de type "le téléphone sonne".

d Actuellement, on adapte des programmes qui avaient eu du succès.

e La majorité des jeunes écoutent quotidiennement la radio.

f En se basant sur une émission vieille de vingt ans on satisfait aux besoins des jeunes.

Point-grammaire . . . .

L'emploi des prépositions voir page 168, §61

• Une préposition peut indiquer **la position :**

... une hausse sensible de la fréquentation **en** salles
... *a noticeable increase in attendance **at** cinemas*

D'autres exemples : **devant, derrière, entre, à côté de.**

• Une préposition peut indiquer **le temps :**

La Fête du cinéma a lieu **pendant** trois jours.
*The Festival of Cinema is taking place **over** three days.*

D'autres exemples : **avant, après.**

• Une préposition peut aussi indiquer **l'appartenance :**

Pierre Renaud, **de** l'association Vive la radio...
*Pierre Renaud, **of** the organisation Vive la radio...*

D'autres exemples : **à**.
A qui est ce parapluie ?
***Whose** umbrella is this? OR Who does this umbrella belong to?*
Il est **à Jean**.
*It's **John's**. OR It belongs to John.*

Comparez :
C'est le parapluie de Jean. | *This is John's umbrella.*
Ce parapluie est à Jean. | *This umbrella is John's.*
Est-ce que ce parapluie est à Jean ? | *Is this umbrella John's?*
Non, il est à moi. | *No, it's mine.*

Pratique de la grammaire . . . .

L'emploi des prépositions

1 Reformulez ces phrases brouillées. Repérez la préposition, ou les prépositions, dans chaque phrase, et dites s'il s'agit d'une expression de temps, de position ou d'appartenance.

a radio toujours on la moi écoute Chez.

b cote reste depuis stable La années la de radio quelques.

c France on maintenant utilise qui succès En formules des eu ont du

d j' la pendant télévision Hier heures regardé ai plusieurs

e que transistor Philippe Je est pense ce à

2 Lisez la section de la Grammaire sur les prépositions voir page 168, et puis complétez le texte suivant en y insérant les prépositions qui conviennent, et qui se trouvent en fin de texte.

Les Français écoutent la radio en moyenne trois heures par jour

La durée moyenne .... écoute par auditeur est stable aux alentours de trois heures .... quelques années. Elle est un peu supérieure (3h10) .... semaine et un peu inférieure .... les weekends (2h54). Une durée inférieure de près d'une demi-heure .... celle consacrée à la télévision.

La radio est très écoutée le matin .... 7 et 9 heures, bien que la télévision du matin bénéficie d'une audience croissante. L'écoute maximale est atteinte entre 7h et 18h. Elle diminue .... fur et .... mesure que la soirée se poursuit.

à (2 fois) entre d' en au pendant depuis

Une journaliste de radio

Isabelle, une jeune journaliste de radio parle de son métier.

"C'est moi qui fais la présentation… qui fais le reportage… il n'y a personne avec moi, donc c'est moi qui appuie sur les boutons, qui lance la musique, qui fais tout…"

1 En écoutant l'entretien avec Isabelle, complétez le tableau concernant le métier et les horaires de cette jeune femme.

Emploi : *Journaliste de radio*	**Lieu de travail :**
Se lève à :	**A 7h30 :**
Dernier journal à :	**Le soir :**
Durée de chaque intervention :	

2 〇〇 En réécoutant l'interview de "Rennes, capitale de la Bretagne" jusquà "deux petites interviews de 40 secondes", complétez l'information qu'Isabelle nous donne sur ses activités.

Exemple :
Je travaille tous les jours.

a Je me lève ....
b Je présente ....
c Je parle de ....
d J'en rajoute ....
e J'écris ....
f Je les obtiens ....
g Je prépare ....
h Je fais ....
i Je vais ....
j Je monte ....
k Je les mets ....

3 Un journaliste a besoin de trouver des informations.

a Où Isabelle obtient-elle les informations dont elle a besoin pour présenter ses journaux d'informations du matin ? Citez quatre exemples.
b Comment rassemble-t-elle les informations pour le magazine du soir ?

4 La radio locale vous a demandé, à vous et à deux ou trois de vos amis, de présenter une émission de cinq à huit minutes sur "Les jeunes et le cinéma". Préparez ensemble cette émission : décidez du rôle de chacun, des questions-réponses, de l'interview (fictive) d'un metteur en scène par exemple.

Puis, lorsque chacun de vous est prêt, enregistrez l'émission. Chaque groupe pourra ensuite faire écouter son émission à toute la classe.

La Cinquième, pour le plaisir d'apprendre

Questions au président de la chaîne de la connaissance et de la formation, pour en savoir plus sur un projet longtemps resté au fond des tiroirs.

Les Clés : Pourquoi avoir attendu si longtemps pour créer en France une chaîne éducative ?

Jean-Marie Cavada : Ce n'est pas à moi qu'il faut poser la question, mais aux pouvoirs publics. Pourtant, Michel Serres (philosophe) travaille depuis 10 ans à ce projet, d'autres équipes ont également mis sur pied des projets de télévision éducative qui n'ont pas abouti. Pourquoi ? Peut-être parce qu'en France le mot éducation a une résonance négative, alors que dans les pays anglo-saxons, éducation ne signifie ni ennui, ni grisaille, ni pédantisme. Aujourd'hui que les pouvoirs publics ont décidé de créer cette chaîne, le moment n'est pas venu de s'en plaindre.

Les Clés : Pensez-vous que la Cinquième puisse être un nouvel outil pédagogique complémentaire de l'école ?

J-MC : En aucun cas, c'est clair, nous ne pouvons ni ne voulons nous substituer aux maîtres. Notre créneau : susciter l'envie d'apprendre, le plaisir de découvrir, le désir "d'aller plus loin". Les enseignants pourront utiliser nos modules d'émissions comme point de départ d'une réflexion, d'une recherche, d'une enquête…

Les Clés : La Cinquième parviendra-t-elle à intéresser les 14–18 ans, plus attirés par des feuilletons américains ou des émissions de divertissement ?

J-MC : Les jeunes peuvent regarder des séries américaines, des émissions de divertissement, et s'intéresser aussi aux programmes de la Cinquième. Les jeunes de tous milieux ont un besoin profond de sens ; je ne l'invente pas, j'écoute leurs attentes lors des nombreux déplacements que je fais en province. La culture, le savoir, les informations vont être le poumon des activités économiques de XXIe siècle; les jeunes ont une conscience aiguë de cette nécessité d'apprendre.

Les Clés : La chaîne de la connaissance et de la formation suffira-t-elle à combler le malaise social qui existe aujourd'hui en France ?

J-MC : Si nous avons l'ambition avouée de contribuer à essayer de réparer le tissu social, de préparer le citoyen aux évolutions de l'avenir, nous ne sommes pas, c'est clair, l'assistante sociale de la nation, ni la solution à tous les maux. Restons à la place qui est la nôtre, celle d'un média-outil qui peut être utile au plus grand nombre.

Les Clés de L'Actualité

1 Répondez aux questions suivantes.

    a Pourquoi les tentatives précédentes de la création d'une chaîne éducative n'ont-elles pas réussi ?

    b Le but de la Cinquième est-il de remplacer les professeurs ?

    c En quoi la Cinquième peut-elle être utile aux professeurs ?

    d Les jeunes devront-ils s'intéresser exclusivement à la Cinquième ?

    e Pourquoi les jeunes sont-ils susceptibles de s'intéresser à la Cinquième ?

    f Comment Jean-Marie Cavada voit-il le rôle social de la Cinquième ?

2 Le tableau suivant contient des noms et des verbes pris dans le texte. Complétez ce tableau avec les éléments correspondants.

Nom	Verbe
création	*créer*
éducation	
	se plaindre
outil	
enseignant	

Nom	Verbe
divertissement	
	s'intéresser
attente	
	apprendre
	essayer

3 Discutez avec un(e) partenaire la néccésité d'une chaîne de télévision qui soit consacrée à l'éducation. N'y a-t-il pas d'autres moyens d'apprentissage qui soient plus efficaces ?

Partenaire A : Vous soutenez la thèse de Jean-Marie Cavada. Les points suivants pourraient vous être utiles.

- L'image de marque de l'éducation en France.
- Son image dans le monde anglo-saxon.
- Aucun désir de remplacer les maîtres d'école.
- But : d'aller plus loin, d'aller au delà de ce qu'on apprend à l'école.
- Moyens : offrir des modules qui puissent servir de points de départ.
- Les jeunes ont la soif de l'apprentissage.

Partenaire B : Vous n'acceptez pas la thèse de Monsieur Cavada.

- La télévision n'est plus le meilleur moyen de transmettre des informations.
- L'existence de l'Internet a tout changé.
- Le nombre limité de chaînes de télévision réduit l'accès des jeunes aux informations.
- Les CD-ROM fournissent des banques de données bien supérieures à ce que peut offrir la télévision.
- Vous avez en plus toute la presse écrite.

Vous pourriez utiliser les expressions suivantes pour soutenir votre thèse ou pour attaquer celle de votre partenaire.

Introductions	Pour	Contre
A mon avis	il est essentiel de	il n'en est rien
Il me semble que	le tout est de	c'est inexact
Pour moi	il est primordial de	au contraire
Autant que je sache	à coup sûr	là, vous avez tort
	en résumé	ça n'a aucun rapport

Point-grammaire . . . .

L'infinitif comme régime du verbe voir page 164, §54 ▶

Certains verbes appellent l'emploi des prépositions **à** ou **de**, d'autres ne demandent pas de préposition.

Ce n'est pas à moi qu'**il faut poser** la question.
*You **shouldn't be asking** me this question.*

… les pouvoirs publics **ont décidé de créer** cette chaîne.
*… the authorities **have decided to set up** this channel.*

La Cinquième **parviendra-t-elle à intéresser** les 14–18 ans ?
*Will Channel 5 **manage to interest** the 14- to 18-year olds?*

Le subjonctif dans les interrogations

On emploie le subjonctif du verbe dans une proposition subordonnée après les verbes employés interrogativement, c'est-à-dire, quand on demande une opinion.

Pensez-vous que la Cinquième **puisse** être un nouvel outil pédagogique ?
Do you think that Channel 5 can be a new educational tool?

Croyez-vous que les jeunes **aient** envie de regarder la Cinquième ?
Do you think that youngsters want to watch Channel 5?

Pratique de la grammaire . . . .

L'infinitif comme régime du verbe

Dans le texte ci-dessous, remplissez les blancs en insérant, *quand il le faut*, une préposition (**à**, **de**).

La télévision peut-elle remplacer le maître ou le professeur?
On n'a pas décidé ……… créer une nouvelle chaîne de télévision comme point de départ pour l'éducation. On n'essaie pas ……… remplacer le maître, on espère plutôt ……… lui servir de soutien. Le maître peut ……… utiliser les émissions comme il veut. A l'aide de celles-ci, il parviendra ……… susciter l'imagination des jeunes, mais seulement à condition qu'il s'investisse. Nous souhaitons ……… fournir les moyens par lesquels il arrivera ……… éveiller l'intérêt de ses élèves. Nous ne voulons pas ……… remplacer le maître par un téléviseur. Ce serait une folie.

Le subjonctif dans les interrogations

1 En utilisant les expressions ci-dessous, formez des questions complètes avec les résumés qui suivent. Le verbe de la proposition subordonnée doit être au subjonctif.

Exemple :
les teenagers – être en âge – apprécier une télévision éducative
Pensez-vous que les teenagers soient en âge d'apprécier une télévision éducative

Pensez-vous que… ?
Croyez-vous que… ?
Vous êtes d'avis que… ?
Est-il vrai que… ?
Êtes-vous certain que… ?

➡

les jeunes – pouvoir – s'intéresser – une 5e chaîne

les adultes – avoir suffisamment de connaissance – les goûts de jeunes

nous – pouvoir – combler le malaise social qui existe

le moment – être venu – de créer ce genre de média

les pouvoirs publics – savoir – exactement ce qui se passe chez les jeunes

vous – être à même de – attirer l'attention des jeunes sur l'éducation

un homme médiatique – vouloir – privilégier l'éducation aux dépens du profit

2 Voici des réponses de questions. Qu'est-ce qu'on avait demandé ?

Exemple :
Réponse : Oui, je pense que les jeunes peuvent faire de bons choix.
Question : Pensez-vous que les jeunes puissent faire de bons choix ?

a Oui, je crois qu'il est temps de réexaminer le rôle des médias.

b Oui, je trouve qu'il y a suffisamment de chaînes de télévision.

c Oui, je suis d'avis que les jeunes savent ce qu'ils veulent.

d Oui, il est vrai que les gens médiatiques sont conscients de leurs responsabilités.

e Oui, je suis certain que le grand public veut voir la violence disparaître de ses écrans.

Écoute **2**

Le métier de productrice à la télévision

Catherine est productrice à TF1 et nous explique son métier.

1 Vous allez entendre des mots ou expressions que vous ne connaissez peut-être pas. Avant d'écouter l'enregistrement, essayez de faire correspondre ces mots à leur définition donnée ci-dessous.

a Ligne éditoriale
b Eclairer la lanterne de
c Les rouages
d L'audimat
e Le décor

i L'ensemble des éléments, des moyens nécessaires au bon fonctionnement d'une mécanique, d'une machine, ou d'une entreprise, etc.

ii Mesure le nombre de téléspectateurs qui suivent les programmes d'une chaîne à une certaine heure.

iii Renseigner, informer quelqu'un sur un certain sujet.

iv Ce qui va servir de cadre à l'émission, c'est à dire le studio et tout ce qu'on y met, tables, chaises, lumières, affiches, pour créer une certaine atmosphère.

v L'objectif, le but recherché par les directeurs de la chaîne.

La France a six chaînes de télévision :

TF1 (Télé France 1)
F2 (France 2)
F3 (France 3)
Canal + (chaîne payante)
La 5 (La cinquième – de 6h45 à19h) & Arte (chaîne culturelle – de 19h à la fin des programmes)
M 6 (sixième chaîne de télévision)

2 🔘🔘 Pendant la première écoute, prenez des notes sur ce que dit Catherine concernant :

● Métiers à connaître
● Compétences à acquérir
● But à atteindre

3 🔘🔘 Puis réécoutez l'entretien pour vous rassurer de vos réponses à 2, et essayez d'expliquer en quelques phrases, en reformulant les notes de *But à atteindre* en quoi consiste principalement le travail de Catherine.

Quel cinéma pour demain ?

Si la possibilité de s'immerger dans un univers virtuel reste encore, d'un point de vue cinématographique, un fantasme, de nombreux réalisateurs, en revanche, défrichent d'ores et déjà de nouvelles écritures. Florent Aziosmanoff, vice-président d'Art 3000, association spécialisée dans l'art infographique et le mulitimédia, a lancé "Ciné Synthèse", un programme réunissant 23 films de fiction et d'animation destiné à faire découvrir au grand public certains aspects du cinéma de demain.

Les Clés : De quelles manières la réalité virtuelle pourrait-elle trouver des applications dans le cinéma ?

Florent Aziosmanoff : Le spectateur aurait, par exemple, la possibilité de s'immerger dans un univers de synthèse à l'aide des fameux casques de visualisation qui permettent une vision stéréoscopique. Ce genre d'application existe déjà pour

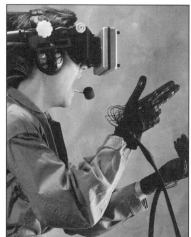

certains jeux, aux État-Unis et au Japon, mais on ne sait pas encore si c'est artistiquement réalisable pour le cinéma. Dans ce cas-là, il faudra complètement réinventer l'écriture de narration, en développant l'interactivité : le point de vue du spectateur serait alors totalement libre. Comme si, au théâtre, il pouvait monter sur scène. Il pourra s'incarner dans l'un des personnages, ou dialoguer avec eux...

Les Clés : Aujourd'hui, presque tous les effets spéciaux sont réalisés grâce aux techniques infographiques. C'est la nouvelle dimension dans la conception ?

Florent Aziosmanoff : L'infographique va déchirer le vrai du réalisme imposé qui règne dans le cinéma. En faisant notamment entrer une dimension onirique. Les films les plus avancés aujourd'hui sont ceux qui font un éclatement de scénario.

Cette destruction, ce franchissement de la réalité, l'infographie va le permettre très facilement. S'il faut un martien au bord d'une plage, on filmera une vraie plage, et on fabriquera un martien en images de synthèse. Tout comme Spielberg a inventé des dinosaures. Seulement les Américains sont très forts sur la technique, mais n'en font rien d'intéressant. Jurassic Park est une monstruosité : un scénario raté, des comédiens grotesques... C'est un film de série B !

Les Français n'ont pas été capables de mettre en place un poids de production suffisamment puissant pour être un vrai partenaire économique dans ce secteur-là, mais sur le plan créatif, nous avons les auteurs.

Les Clés de l'Actualité

1 Trouvez dans le texte les équivalents des expressions suivantes :

    a *many producers … are clearing the way for new styles of writing*
    b *an artificial world*
    c *this type of technology already exists*
    d *he'll be able to get inside one of the characters*
    e *in particular, by bringing in a dream-like element*
    f *those that deliberately break up the script*
    g *this way of going beyond reality*
    h *computer-generated images*

2 Trouvez dans le texte des termes qui se réfèrent à l'univers du cinéma, et classez-les selon les deux catégories suivantes :

Personnes engagées	Procédures
réalisateurs	*écritures*

3 Pour chacun des mots encadrés, qui sont extraits du texte, trouvez une expression qui exprime le sens contraire, susceptible d'être inséré dans les phrases qui suivent :

Exemple :
virtuel ≠ réel
Les jeunes d'aujourd'hui s'intéressent à tout ce qui est (virtuel) .
Les jeunes d'aujourd'hui s'intéressent à tout ce qui est **réel**.

virtuel	nouveau	découvrir	la possibilité	la synthèse	le réalisme	vrai	fort	capable

    a Les jeunes ne s'intéressent pas aux ………… films en noir et blanc.
    b Certains metteurs en scène essaient de ………… un message dans leurs films.
    c Plusieurs cinéastes regrettent infiniment, mais ils se trouvent dans l'………… de céder aux demandes du public.
    d Dans les Cahiers du Cinéma, on procède à l'………… des films importants.
    e De nos jours, les films de ………… font fureur.
    f Le cinéma a une tendance à donner une ………… image de notre société.
    g Les films français font une ………… concurrence à ceux d'Hollywood.
    h On se voit de plus en plus ………… de faire face à la vague de violence qui se déferle sur nos écrans.

4 Trouvez dans le texte les mots qui correspondent aux mots suivants.

Nom	Verbe	Adjectif
possibilité		*possible*
nombre		
	animer	
	appliquer	
	jouer	
	réaliser	
liberté		
	concevoir	
	éclater	
vérité		
	créer	

5 Quels sont les avantages et les risques de la réalité virtuelle ? Devrait-on exposer les gens à cette nouvelle technologie ? Ayant examiné les pour et les contre, essayez d'en arriver à une conclusion. Les idées suivantes pourraient vous être utiles.

Avantages
Ces nouvelles technologies ouvrent à l'esprit des horizons jusqu'ici impensables.
Nouveaux mondes ?
Nouvelles expériences ?

Risques
On a déjà du mal à distinguer ce qui est réel de ce qu'on voit dans les feuilletons télévisés.
Fiction ?
Perte de temps ?

Conclusion
Plutôt positif avec aspects négatifs ? Plutôt négatif avec aspects positifs ?

Point-grammaire . . . .

Faire + l'infinitif voir page 164, §54

L'emploi du verbe *faire* avec un infinitif donne un sens causatif.

Un film destiné **à faire découvrir** au grand public certains aspects du cinéma de demain.
*A film which aims **to show** to the public at large some aspects of the cinema of the future (**to cause to be revealed**).*

En **faisant** notamment **entrer** une dimension onirique…
*In particular, **by bringing** in a dream-like element (**by causing** a dream-like element **to come in**) …*

Les pronoms démonstratifs voir page 154, §31

Restons à la place qui est la nôtre, **celle d'**un média-outil…
*Let's keep to our own role, **that of** a media-tool …*

Les films les plus avancés sont **ceux qui** font un travail d'éclatement du scénario.
*The most advanced films are **those that** deliberately break up the script.*

Le pronom *on*

On peut utiliser le pronom *on* pour éviter l'emploi du passif.

On filmera une vraie plage…	**On fabriquera** un martien en images de synthèse…
PLUTÔT QUE	PLUTÔT QUE
Une vraie plage **sera filmée**…	Un martien en images de synthèse **sera fabriqué**…
***You'll film** a real beach …*	***You'll make** a Martian with computer graphics …*
RATHER THAN	*RATHER THAN*
*A real beach **will be filmed** …*	*A Martian **will be made** with computer graphics …*

Pratique de la grammaire . . . .

Faire + l'infinitif

1 Remplissez chaque blanc avec un des infinitifs de la liste ci-dessous, pour compléter le sens de l'expression. Cette expression doit avoir le même sens que le verbe utilisé dans la question.

    a Vous voulez montrer au grand public comment fonctionne la réalité virtuelle ?
       C'est exact. Nous voulons faire .... comment ça marche.

    b Vous espérez introduire une dimension surréelle ?
       C'est ça. On souhaite faire .... un élément irréel.

    c Vous comptez immerger le spectateur dans le film ?
       Oui. Notre but est de faire .... l'auditoire dans l'action qui se déroule devant lui.

    d Vous avez donc l'intention de tromper le spectateur ?
       En partie, oui. Nous voulons lui faire .... qu'il fait partie de l'intrigue.

    e Vous entendez engager le spectateur d'une façon incroyable !
       Absolument. Nous voulons le faire .... à ce qu'il voit, à ce qu'il entend, et à ce qu'il sent.

pénétrer   entrer   participer   croire   voir

Les pronoms démonstratifs

Complétez les réponses aux questions en utilisant la forme du pronom démonstratif qui s'impose.

Exemple :
Quels sont les films les plus réussis ?
Ceux qui répondent aux besoins de l'auditoire.

    a Quelle est la personne la plus importante en matière d'infographie ?
       .... qui a le plus d'influence, c'est le metteur en scène.

    b Quelles sont les raisons principales de l'échec de certains films ?
       .... qui sont les plus importantes sont la pauvre qualité du scénario et le manque d'imagination.

    c Quelle est la possibilité la plus excitante dans l'emploi de l'infographie aujourd'hui?
       .... qui est la plus excitante, c'est d'aller au-delà du quotidien, de créer un univers du jamais-vu.

Le pronom *on*

Utilisez le pronom *on* et la voix active du verbe.

Exemple :
Des casques de visualisation **seront mis** à votre disposition.
On mettra des casques de visualisation à votre disposition.

    a De nouvelles possibilités seront créées.
    b Les histoires de Jules Verne seront adaptées.
    c De nouvelles adaptations seront trouvées.
    d De nombreux effets spéciaux seront réalisés.
    e L'écriture de narration sera réinventée.

La carrière de journaliste

Isabelle nous parle de ses raisons pour suivre une carrière de journaliste à la radio.

> **Voici une explication de certains mots ou expressions que vous allez entendre dans l'enregistrement.**
>
> **L'Institut des Sciences Politiques :** École qui est tournée vers la culture générale à un assez haut niveau. On dit "faire Sciences Po". On y étudie pendant trois ans, la science politique, l'économie, l'histoire, etc...
>
> **Faire un stage :** passer quelque temps dans une entreprise ou un organisme pour se rendre compte comment ils fonctionnent et quel type de travail ils requièrent.
>
> **La dérive :** littéralement un bateau dérive lorsqu'il n'est plus dynamique, et qu'il est alors entraîné par les vents et les courants. Par extension, le mot signifie s'éloigner de son sujet, s'aventurer dans des domaines controversés.
>
> **Les problèmes de déontologie :** les problèmes ayant rapport au code de l'éthique (de la morale dans le travail).

1 Lisez d'abord la liste des phrases ci-dessous. Puis en écoutant la première partie de l'enregistrement, dites si elles sont vraies ou fausses.

a Les gens trouvaient que le métier de journaliste lui irait bien.
b L'actualité ne l'intéressait pas vraiment.
c Elle a choisi Sciences Po parce qu'elle voulait devenir journaliste.
d Elle a trouvé son stage dans l'administration très stimulant.
e Isabelle ne peut pas supporter un travail de bureau.

2 Réécoutez la première partie de l'entretien et faites une liste de tout ce qu'Isabelle veut d'un métier.

Exemple : "je veux rencontrer des gens"

3 Classez en deux colonnes les opinions d'Isabelle concernant la presse d'une part et la radio d'autre part.

Presse écrite	La radio
est mal faite	

4 Relevez les deux superlatifs utilisés par Isabelle pour qualifier la radio.

Exemple :
La radio c'est le média le plus…

5 🔘 Maintenant écoutez la dernière partie de l'entretien et remplissez le tableau ci-dessous en relevant les différences soulignées par Isabelle entre la télévision et la radio et son opinion concernant ces différences.

La radio	Opinion
	ça a quelque chose de magique
On peut évoquer des images	

La télévision	Opinion
on voit les visages des journalistes	

6 Débattez parmi vos camarades des différences entre la télévision et la radio. Êtes-vous d'accord avec Isabelle ? Voyez-vous une autre réalité ? Préparez vos arguments en deux groupes, puis allez-y !

Compétences orales et écrites . . . .

Comment mener une interview

Préparation

i Décidez quelle information vous aimeriez obtenir de votre interlocuteur.

ii Formulez des questions pour chercher cette information.

iii Préparez des questions supplémentaires pour réagir aux réponses de votre interlocuteur.

Exécution

i Saluez votre interlocuteur.

  (Bonjour Monsieur)

ii Formules de politesse.

  (C'est très gentil de votre part de m'accorder quelques moments pour cette interview. Si vous permettez, j'aimerais bien vous poser quelques questions.)

iii Posez des questions et soyez prêt(e) à réagir à une réponse inattendue.

iv Remerciez.

Pratique

Imaginez que vous allez interviewer une des personnes suivantes. Choisissez celle qui vous intéresse et à qui vous aurez des questions à poser.

– une vedette du cinéma ou du sport ou de la musique ;

– le directeur de votre établissement scolaire ;

– une vieille dame qui fête ses 100 ans ;

– l'épouse du Président de la France.

i Écrivez une liste des informations que vous cherchez (sur sa vie ; sur son travail ; sur ses opinions ; sur ses attitudes ; sur son temps libre, etc.)

ii Formulez les questions pour vous enquérir des faits, des opinions, des points de vue, etc.

iii Pensez comment réagir à des réponses inattendues.

---

1 Vous voulez poser des questions à votre partenaire au sujet du cinéma ou de la télévision. Utilisez l'intonation ascendante ou **est-ce que** et demandez à votre partenaire :

– s'il/si elle va souvent au cinéma

– s'il/si elle préfère les films français ou américains

– s'il/si elle préfère regarder la télé

– s'il/si elle a un programme préféré à la télé

2 Maintenant, vous voulez savoir quand votre partenaire va au cinema ou regarde la télé ; combien ça coûte pour aller au cinéma, où se trouve le cinéma. Poursuivez votre dialogue avec ces questions.

3 Vous ne savez pas encore quel est son film préféré, quelles sont les autres activités qu'il/elle aime faire le soir, quelle est son attitude envers les films violents, etc. Continuez avec des questions de ce genre.

4 Le journal local vous demande d'écrire un article à la suite d'une interview que vous avez menée. En vous basant sur les interviews dans ce chapitre, et sur les informations dans cette section, rédigez l'article.

Contenu

 Le travail serait-il en train de devenir le privilège d'un petit nombre ? Trouver un emploi reste la préoccupation majeure de beaucoup de jeunes. Quelle formation faudrait-il choisir ? Comment pourrait-on mettre toutes les chances de son côté pour trouver un emploi ? On s'interroge, face à la montée du chômage. Certains pourtant ont refusé cette situation et décidé de réagir. Et ils ont trouvé des solutions.

Lecture 1

QUEL MÉTIER ?

Responsable de fast-food

PRÉSENTATION. Le directeur d'un fast-food choisit lui-même l'équipe avec laquelle il travaille. Il assure la promotion de son établissement et surveille sa gestion.

Ici, la notion de cuisine passe au second plan puisque le menu est préétabli : hamburger. Le respect des règles d'hygiène et de conservation prend en revanche une importance accrue.

FORMATION. Le recrutement se fait par promotion interne, en suivant la filière des assistants. Aucune école n'assure de formation spécifique à la restauration rapide.

EXERCICE DE LA PROFESSION. La prolifération des fast-foods permet de penser que les places ne manquent pas. Mais un restaurant ne compte qu'un directeur et trois assistants environ. Un assistant peut espérer devenir manager au siège de l'établissement qui l'emploie. Mais le nombre de places se restreint sérieusement à ce niveau. Les salaires sont majorés, dans la plupart des cas, au "mérite" afin de motiver les gens un peu plus. Le fixe tourne autour de 10.000F par mois.

1 Lisez l'article, puis relevez tout le vocabulaire se rapportant au monde du travail et de l'entreprise.

Exemple : le directeur

2 Lisez les définitions ci-dessous, puis retrouvez dans le texte le mot (ou l'expression) qui correspond à chacune de ces définitions.

a Action qui consiste à rechercher et sélectionner des personnes pour travailler dans une entreprise.

b Membres du personnel d'une même entreprise qui travaillent ensemble.

c Organisation d'une entreprise, définition de ses objectifs et les moyens de les atteindre.

d Le fait de monter, de gravir les différents échelons dans une entreprise, et obtenir progressivement un meilleur emploi, avec plus de responsabilités.

e Ensemble des moyens utilisés pour faire connaître une entreprise ou un produit et attirer les clients.

f Augmenter, ajouter une somme d'argent à la somme payée régulièrement.

3 Selon le sens du texte, mariez le début de chaque phrase **1–7** à sa fin **a–g**.

Exemple : 1 + c
Dans la restauration fast-food on n'a pas besoin + d'avoir appris à cuisiner.

1 Dans la restauration fast-food on n'a pas besoin
2 Ce qui est le plus important en fast-food
3 Il est possible de rentrer dans cette branche
4 Si un assistant travaille bien
5 Le personnel d'un fast-food se compose
6 C'est le directeur qui est responsable
7 Malgré la multiplication des restaurants fast-food

a le nombre d'employés reste assez limité.
b d'un directeur et de deux ou trois assistants.
c d'avoir appris à cuisiner.
d c'est l'hygiène et la conservation des produits.
e il/elle reçoit plus d'argent en fin de mois.
f sans aucune qualification particulière.
g de recruter le personnel et de gérer le restaurant.

4 Ecrivez une courte lettre au directeur de votre fast-food local pour obtenir un emploi et expliquez en trois ou quatre points pourquoi vous aimeriez obtenir ce genre d'emploi.

Les nouveaux managers de l'hôtellerie et du tourisme

Préparer un brevet de technicien supérieur (B.T.S.) du tourisme à l'Institut Vatel, école supérieure de gestion appliquée à l'hôtellerie et au tourisme, c'est entrer de plain-pied dans la profession et dans l'actualité.

En effet, c'est une réalité aujourd'hui que, derrière le mot tourisme, il y a souvent une même enseigne : des chaînes internationales, des concepteurs, des restaurants voire des clubs sportifs. A chacun son choix touristique, mais le professionnel, l'homme de terrain s'entend, doit être capable de gérer ce nouveau concept. Il doit avoir intégré dans ses études et dans les stages (quatre mois en Europe, aux États-Unis, en France) toute la diversité des produits et de la clientèle.

A l'Institut Vatel, les cours pratiques se font en réel et les étudiants gèrent leurs connaissances au quotidien. Ainsi, dans l'hôtel d'application de 50 chambres, ils apprendront la gestion des réservations, se familiariseront avec l'informatique, géreront un budget comptable et seront en contact direct avec la clientèle qu'ils accueilleront.

Études sur 3 années
Admission : baccalauréat ou niveau bac
2 langues obligatoires dont l'anglais
Qualités requises : motivation, adaptabilité, esprit de synthèse.

Institut Vatel : 107, rue Nollet, 75017 Paris.
Tél : 01 42.26.26.60

1 Pour chacune des expressions du texte en gras ci-dessous, encerclez l'équivalent approprié.

1 Entrer **de plain-pied** dans la profession.
   a au plus bas échelon
   b au plein cœur de
   c de façon permanente
2 Il y a des restaurants, **voire** des clubs sportifs.
   a où on trouve
   b qui sont aussi
   c et même

3 L'homme **de terrain**
   a celui qui a une expérience pratique
   b le spécialiste de la campagne
   c la personne qui habite sur place
4 Cela **s'entend**
   a se remarque vite
   b est accepté
   c va de soi

2 Après avoir lu le texte, remplissez la grille suivante en indiquant les différents éléments de la formation proposée.

Compétences à acquérir	
Lieux de stage	
Durée minimum de stage	
Lieu d'apprentissage	
Nombre d'années d'études	
Diplôme (compétences) requis à l'inscription	

3 En groupe de deux ou trois, discutez de la publicité faite par cette école. Est-ce que cela vous attire ? Auriez-vous envie d'intégrer ce type d'école et pourquoi ?

Point-grammaire . . . .

L'adjectif possessif voir pages 151–152, §23

1 Pour les formes de l'adjectif possessif – voir page 151.

2 L'adjectif possessif accompagne le nom et indique le possesseur de la chose dont on parle :

notre sondage   *our* survey
leur avenir   *their* future

3 L'adjectif possessif s'accorde avec le nom qu'il accompagne :

Les étudiants gèrent **leurs** connaissance**s** au quotidien.
*The students tailor **their** skills to the real world.*
… savoir comment ils vont orienter **leur** avenir professionnel.
*… knowing in which direction to take **their** career.*

4 On doit noter surtout l'usage de **son**, **sa**, **ses** et comparer avec l'usage anglais. En français il n'y a pas de distinction selon le sujet comme en anglais :

*He has **his** book; she has **her** book.*
*He has **his** watch; she has **her** watch.*

En français, ce qui compte n'est pas le **sujet** mais le **genre** du mot désignant la chose possédée :

Il a **son** livre ; elle a **son** livre.
Il a **sa** montre ; elle a **sa** montre.

Il assure la promotion de **son** établissement et surveille **sa** gestion.
*He takes responsibility for publicising **his** establishment and keeps an eye on **its** administration.*

5 L'adjectif possessif se place toujours devant le nom qu'il détermine. Lorsqu'un nom féminin commence par une voyelle ou un 'h' muet, on emploie **mon**, **ton**, **son** :

Mets **ton** écharpe.
Raconte **ton** histoire.

Pratique de la grammaire . . . .

L'adjectif possessif

1 Remplissez les blancs avec l'adjectif possessif qui convient.

Un magazine a voulu savoir comment les jeunes pensaient orienter ……….. avenir professionel. Le journaliste a interrogé Nathalie.

Nathalie : ……….. parents m'ont conseillé d'arrêter ……….. études après ……….. bac, sans doute à cause de l'expérience de ……….. sœur aînée qui malgré ……….. licence en Lettres n'a toujours pas de travail. Ils pensent maintenant que ……….. enfants devraient se tourner vers des études pratiques. Mais ……….. père a bien insisté en disant "c'est ……….. avenir. A vous de choisir." ……….. jeune frère et moi, nous sommes d'accord. Nous pensons que ……….. chances de trouver du travail seront plus grandes avec un B.T.S. Quant à moi, ……….. choix s'est porté sur le tourisme parce que ……….. tante a une petite agence de voyages et que j'adore travailler avec elle.

Les restos du cœur

Écoutez le témoignage d'Alain qui avait tout, travail, maison, famille. Il explique comment il est arrivé au resto du cœur.

1 Vous allez entendre dans l'enregistrement les mots et expressions suivants. Voici une explication du sens de ces mots dans le texte.

Resto du cœur : Organisation charitable qui assure la distribution de nourriture gratuite aux gens qui ont de grosses difficultés d'argent et qui ne peuvent pas manger à leur faim

Imprimerie : Établissement, lieu, endroit, où on fait des livres

Pavillon : Petite maison

Effectuer des déplacements : Travailler loin de son lieu d'habitation et bouger fréquemment d'un endroit à un autre

Payer les traites : Sommes d'argent que l'on s'engage à payer régulièrement pour rembourser l'argent que l'on a emprunté

Être à jour : Avoir fait ce que l'on s'était engagé à faire ; par exemple rembourser régulièrement l'argent que l'on doit

Pas mal de : beaucoup

Rmiste : Personne qui a le droit au Revenu Minimum d'Insertion

Être bénéficiaire : Profiter d'un avantage

CES : Un contrat d'emploi de solidarité, c'est à dire un contrat de travail dont une partie du salaire est payé par l'État

La dispersion : Pour Alain le moment où tout ce qu'il aimait, travail, famille s'est éloigné de lui, a disparu

Avoir le profil : Correspondre au type de personne qu'un employeur recherche

Livrer : Transporter en camion des marchandises jusqu'à un endroit déterminé

2 🎧 Après la première écoute, remplissez le tableau ci-dessous qui retrace les étapes de la vie d'Alain, avant de perdre son emploi puis maintenant.

	Avant	**Maintenant**
type d'emploi		
durée de l'emploi		
lieu de travail		
salaire		
logement		
situation familiale		

3 ⬛ A la deuxième écoute, répondez en français aux questions suivantes.

1 Qu'est-ce qu'Alain a dû faire, pour essayer de garder son pavillon ?
2 Comment Alain explique-t-il que son couple a "éclaté" ?
3 Où est-il et que fait-il maintenant ?
4 Qu'est-ce qui l'aide surtout aujourd'hui ?

4 ⬛ Voici la transcription d'une partie de cet entretien avec Alain. En écoutant la cassette, essayez de remplir les blancs.

Q : Donc le couple .... Vous ne pouviez plus .... du pavillon. Qu'est-ce qui .... ?
Alain : C'était ...., quoi. Il y a un dicton qui dit "Quand il n'y a pas d'avoine à l'écurie, les ânes .... entre eux", mais c'est un peu vrai, c'est un peu vrai.
Q : Alors, aujourd'hui, vous êtes .... ici au resto du cœur de Bobigny, mais vous avez bénéficié d'un CES, d'un .... Alors, qu'est-ce que vous faites ? Vous rendez service, vous êtes .... ?
Alain : C'est ma deuxième journée aujourd'hui.
Q : Vous livrez ?
Alain : Oui, oui, oui, oui, je suis avec un chauffeur là…
Q : Et vous .... combien ?
Alain : ....

Point-grammaire…

Le plus-que-parfait

voir page 162, §49–50 ▶

Le plus-que-parfait exprime une action passée, complétée avant une autre action également passée.

J'**avais loué** un pavillon.
I **had rented** a detached house.

Je m'**étais engagé**.
I **had committed** myself.

J'**étais déjà parti** pour Paris.
I **had already left** for Paris.

Pratique de la grammaire ....

Le plus-que-parfait

Rapportez les événements suivants de la façon suivante.

Exemple:
J'ai vendu la maison. Puis je suis parti pour Paris.
J'avais vendu la maison, donc je suis parti pour Paris.

a J'ai divorcé. Puis j'ai décidé de chercher un nouvel emploi.
b J'ai trouvé un poste de chauffeur. Puis je me suis mis à chercher un logement.
c Je me suis installé à Paris. Puis j'ai demandé un contrat d'emploi de solidarité.
d Je suis allé mettre ma lettre de candidature à la poste. Puis je suis allé boire un coup.
e Je me suis engagé à travailler. Puis j'ai décidé de chercher une nouvelle partenaire.

Lecture 3

Apprentis : les pieds sur terre

Centre de formation des apprentis (Maison des métiers de l'industrie, à Tourcoing). Dans l'atelier, le professeur en blouse bleue explique à ses élèves de BEP chaudronnerie, les complexités de l'assemblage d'une pièce. Autour de lui une vingtaine d'élèves également en bleu de travail, écoute attentivement. "Cette formation m'a sauvé, raconte Laurent 22 ans. Avant, j'étais en cycle classique à l'école, et je m'en foutais. Sur une année, j'assistais seulement au cours pendant trois mois…"

Même rengaine chez Yann, 19 ans : "L'école, c'est des conneries. Les études génerales ne donnent que des notions. Ici on apprend un métier."

Pour ces jeunes souvent arrivés en apprentissage à la suite d'un échec scolaire, la formation professionnelle constitue le seul moyen d'être sûr de trouver un emploi. "C'est plus facile pour nous, explique Yann. Comme on travaille parallèlement en entreprise, on a la chance de faire nos preuves. Le patron voit ce qu'on fait. Et il préférera embaucher quelqu'un qu'il connaît plutôt qu'un bachelier."

Plus que le chômage, la préoccupation majeure de Laurent et Yann est de savoir comment ils vont orienter leur avenir professionnel. Rester dans la chaudronnerie ? Se spécialiser dans une autre branche ? S'installer à son compte ? Si Yann, plus jeune, n'a pas encore tranché, Laurent sait lui qu'il ne restera pas aux ordres d'un patron.

"L'idéal ce serait d'avoir quelque chose à moi. La chaudronnerie c'est un métier très dur et dangereux avec ces machines… Et puis, je gagnerai plus si je suis mon propre patron." Hochement de la tête de Yann, dont le rêve était de travailler dans la mécanique auto-moto. "Je n'ai pas pu faire cette spécialisation parce que l'école était à Lille et que j'habite à Wattrelos. Les transports m'auraient coûté trop cher."

Dire que l'argent revêt une importance capitale aux yeux de ces jeunes serait exagéré, mais quand on parle d'avenir, ils pensent avant tout à avoir un bon salaire.

1 Lisez les affirmations suivantes et dites si elles sont vraies ou fausses. Si elles sont fausses, corrigez-les.

Exemple :
Laurent s'intéressait beaucoup aux études classiques.
Faux. A l'école, ses études ne l'intéressaient pas du tout.

a Laurent croit en l'importance des connaissances générales.

b Il pense que dans les entreprises on embauche de préférence les jeunes qui ont le bac.

c Si ces jeunes ont choisi d'être apprentis, c'est pour éviter le chômage après leurs études.

d Laurent veut rester dans une entreprise parce que la sécurité de l'emploi est plus importante pour lui que le salaire.

e C'est le manque d'argent qui a obligé Yann à renoncer à la formation qu'il désirait faire.

f Ce qui compte le plus pour Laurent et Yann, c'est de bien gagner leur vie.

2 Écrivez dans la colonne de droite les expressions qui correspondent au monde de la formation professionnelle.

École/Lycée	Maison des métiers/ Entreprise
Écoliers/lycéens	*Apprentis*
Salle de classe	
Uniforme ou tenue d'école	
Études générales	
Suivre un cycle classique	
Le proviseur du lycée	
Obtenir le baccalauréat	
Poursuivre des études supérieures	

3 Selon Laurent et Yann, quels sont les deux ou trois principaux avantages du BEP (Brevet d'Enseignement Professionnel) sur le baccalauréat ? Êtes-vous d'accord avec eux ?

Par deux, établissez une liste des raisons pour lesquelles on choisit de poursuivre des études supérieures.

Travail et chômage dans le Finistère

Le Directeur du Centre d'Information et d'Orientation pour le Finistère parle de l'emploi dans sa région.

1 🎧 Prenez des notes pour donner des informations sur chaque industrie mentionnée dans l'interview.

Quelques notes sur les industries du sud-Finistère
La pêche   *représente le tiers des activités de pêche en France*
L'agro-alimentaire
Le bâtiment
Le commerce
Le domaine agricole
Le bureau/l'administratif
Le tourisme

2 Répondez aux questions en français.

    a Quels secteurs de l'industrie sont les plus touchés par le chômage actuellement ?

    b Dans quel secteur est-ce qu'on s'attend à une nouvelle demande bientôt ?

    c Comment est-ce qu'on mesure l'impact du tourisme sur le chômage ?

La solitude du chômeur

Ils représentent aujourd'hui près de 10% de la population active. Ils racontent leur galère, leurs efforts désespérés pour remonter à bord d'une société qui ne veut plus d'eux.

Vous avez passé 15 ans dans la même entreprise ? Vous êtes jugés trop casanier. Vous avez eu trois employeurs en 10 ans ? On s'inquiète de votre instabilité. Vous êtes propriétaire de votre logement ? Vous risquez d'être difficile à bouger. Locataire ? Vous n'avez pas d'ancrage. Vous avez trois enfants ? Si vous êtes une femme, on redoutera votre absentéisme. Pas d'enfants ? On le craindra encore plus pour le jour où vous en ferez un.

C'est ça aujourd'hui le marché du travail pour la plupart des chômeurs : un tribunal où tout : leur âge, leur carrière, leur situation de famille, leur écriture ou la couleur de leur cravate peut être retenu contre eux. C'est ce qu'on appelle la loi du marché : quand il y a beaucoup plus de demandes que d'offres, on fait le tri, on hésite, on soupèse, on juge.

Entre tous ces chômeurs un seul critère fait la différence : l'espérance de retrouver un emploi. Globalement on distingue trois catégories : les optimistes, les angoissés, les exclus. Parmi les premiers, on trouve surtout des jeunes, des chômeurs récents, et une forte proportion de femmes. Tous

pensent retrouver rapidement un emploi, et d'ailleurs, on ne se défonce pas souvent pour en trouver. Le chômage est vécu comme une sorte d'attente plus ou moins acceptée.

En revanche, les angoissés battent tous les records de curriculum vitae : ils veulent à tout prix se réinsérer dans la vie active. Ce sont principalement des cadres (hommes) entre 35 et 45 ans. D'abord, ils ont l'espoir de s'en sortir rapidement, mais au fil des mois, cette confiance s'effrite. Enfin, les exclus regroupent les chômeurs de longue durée mais aussi les sans-emploi chroniques. Ce sont eux qui consacrent le moins de temps à la recherche d'un travail : à quoi bon ?

---

1 Retrouvez dans le texte les expressions qui pourraient être remplacées par les équivalents suivants.

a routinier, sédentaire, pantouflard
b lieu fixe, point d'attache
c on aura peur de
d sélectionner certains et rejeter les autres
e peser, évaluer
f se fatiguer pour
g au contraire
h envoient un grand nombre de
i rentrer, se remettre dans
j au cours de
k s'épuise, diminue

2 Relevez dans le texte toutes les critiques faites par les employeurs aux personnes à la recherche d'emploi. Commencez par : **On leur reproche…**

Exemple : On leur reproche d'être trop casaniers.

3 Remplissez le tableau suivant en donnant des précisions sur les personnes touchées par le chômage.

	Les optimistes	Les angoissés	Les exclus
Types de personnes			
Sentiments face au chômage			
Réaction face au chômage			

4 Discutez avec un(e) partenaire. Quelle attitude adopteriez-vous s'il vous arrivait de vous retrouver au chômage ? Utilisez les expressions comme :

Moi, je crois que je serais comme les (angoissés/optimistes)
Je suis sûr que je…
Je ne pense pas être capable de…
J'essayerais de…
Je ferais tout pour…

Point-grammaire . . . .

Les verbes pronominaux de sens réfléchi

voir page 157, §36

1 Le verbe **pronominal** ou **réfléchi** se conjugue avec un pronom de la même personne que le sujet. Ce pronom peut être le régime direct ou le régime indirect.

Sujet	Pronom objet
je	me
tu	te
il, elle, on	se

Sujet	Pronom objet
nous	nous
vous	vous
ils, elles	se

2 Le pronom objet se traduit rarement en anglais :

On **s'inquiète** de votre instabilité.
*They **worry** about your lack of stability.*

On **ne se défonce pas** souvent pour en trouver.
*People **don't rush** to find one.*

Ils ont l'espoir de **s'en sortir** rapidement.
*They hope **to get out** quickly.*

3 Le verbe réfléchi peut se traduire par un verbe au passif :

Cela **ne se fait pas** dans le monde des affaires.
*That **isn't done** in the world of business.*

Pratique de la grammaire . . . .

Les verbes pronominaux de sens réfléchi

1 Complétez les phrases suivantes avec le pronom qui s'impose.

  a Les chômeurs ...... inquiètent de leur avenir.
  b On ne ...... amuse pas à chercher du travail jour après jour.
  c Vous ...... plaignez de gagner si peu d'argent ? Mettez-vous à la place du chômeur.
  d Je ...... demande si le taux de chômage se réduira dans les années à venir.
  e Tu dois ...... inscrire le plus tôt possible au registre des sans-emploi.

2 Complétez les phrases suivantes avec la forme correcte du verbe qui s'impose. Choisissez le verbe dans la liste qui suit. Attention ! Il y a plus de verbes qu'il n'en faut !

  a Je .... à ce qu'il y ait du travail avant Noël.
  b Tu .... compte qu'il est presque impossible de trouver un poste si tu as une famille nombreuse.
  c Les jeunes d'aujourd'hui .... de leur avenir.
  d Les directeurs de notre firme .... actuellement sur ce problème.
  e Vous n'avez pas à .... Vous gagnez assez d'argent.

se plaindre	s'amuser	se rendre	se pencher	se figurer	s'attendre
s'inquiéter	s'écrier				

Écoute 3

Interview : les petits boulots

Écoutez cette interview dans laquelle on parle de la différence entre le travail au noir et les petits boulots.

1 [▣▣] Voici une liste de mots ou d'expressions que vous entendrez dans l'enregistrement et que vous ne connaissez peut-être pas.

> boulot   demandeurs   s'entendre
> les vendanges   la cueillette aux champignons
> travail rémunéré   les charges   au gré de
> la durée   le réveillon de Noël

Essayez tout d'abord de trouvez dans les définitions ci-dessous, la définition qui correspond à chaque mot ou expression.

a Quelqu'un qui a besoin qu'on fasse un travail pour lui.

b Action qui consiste à cueillir, à une certaine époque de l'année (septembre/octobre) les grappes de raisins pour faire le vin.

c Action de partir en forêt pour trouver et ramener ces végétaux appréciés dans la cuisine.

d Repas traditionnel que l'on fait la nuit de Noël.

e Des impôts, des taxes.

f Se mettre d'accord avec quelqu'un.

g Travail qui est payé.

h Le temps.

i Expression familière pour le travail.

j selon ; au plaisir de.

2 [▣▣] Lisez la liste des emplois ci-dessous, cités dans l'enregistrement. Puis, à la deuxième écoute, indiquez s'il s'agit de travail au noir ou d'un petit boulot en inscrivant **N** pour travail au noir ou **B** pour petit boulot.

Exemple :
C'est un emploi saisonnier = **B**

a C'est un emploi à courte durée.

b Encadrer les enfants l'été.

c C'est travailler dans un restaurant.

d C'est un travail qu'on ne déclare pas.

e On est payé de la main à la main.

f Aider à la pêche.

g Aller cueillir des champignons.

h Participer aux vendanges.

3 [▣▣] Lisez d'abord les affirmations ci-dessous. Puis écoutez la deuxième partie de l'entretien. Dites si ces affirmations sont vraies ou fausses ou si on ne le sait pas.

a Les municipalités emploient des gens au noir.

b La ville emploie des gens de temps en temps, pour nettoyer la ville.

c Beaucoup de gens vont de petits boulots en petits boulots selon les saisons.

d Quand on prend un petit boulot, on signe un contrat à durée indéterminée.

e Les contrats à durée déterminée sont toujours déclarés.

f Les gens préfèrent avoir un contrat de travail à durée déterminée.

g Un CDI, c'est un contrat à durée indéterminée.

Compétences orales et écrites . . . .

Exprimer la certitude

Pour commencer la proposition
je suis sûr/sûre que…
je suis certain/certaine que…
nous sommes convaincus que…
nous sommes persuadés que…
il est certain que…/c'est certain que
il est évident que…/c'est évident que
il va sans dire que…
tout me porte à croire que…

Pour suivre la proposition
j'en suis sûr
j'en suis certain
nous en sommes convaincus
nous en sommes persuadés
cela est certain
cela est évident
cela va sans dire
tout me porte à le croire

Exemples :
Je suis sûr que la plupart des chômeurs accepteraient volontiers un emploi.
La plupart des chômeurs accepteraient volontiers un emploi, **j'en suis sûr**.

Il est évident que le taux de chômage est plus important pour les jeunes.
Le taux de chômage est plus important pour les jeunes, **cela est évident**.

Tout me porte à croire que la pêche est en difficulté depuis quelque temps.
La pêche est en difficulté depuis quelque temps, du moins, **tout me porte à le croire**.

1 Avec un(e) partenaire, cherchez dans les Lectures dix phrases qui expriment un fait ou une opinion sur l'emploi ou le chômage.

Exemple :
La formation professionnelle constitue le seul moyen d'être sûr de trouver un emploi.

2 Ensuite, posez des questions à votre partenaire dans le but de recevoir une réponse qui exprime une certitude.

Exemple :
Question : Comment est-ce qu'on peut être sûr de trouver un emploi ?
Réponse : C'est évident que la formation professionnelle constitue le meilleur moyen d'en être sûr.

Poser des conditions

Il y a plusieurs façons de poser des conditions :

Dans chapitre 8, vous avez appris à poser des conditions en utilisant le mot si :

S'il y avait des débouchés, **nous trouverions** du travail.

Certaines prépositions ont aussi un sens qui exprime une condition.

à condition de…   as long as; on condition that
à moins de…   unless
en cas de…   in case

Exemples :

En cas de beau temps nous travaillerions dehors.
If it was fine we would work out of doors.
A moins d'un imprévu, ça devrait marcher.
Unless there's an accident, that should work.
Tu peux rester dans ce poste, à condition de faire ce qu'on te demande.
You can stay in this job, as long as you do what we ask you to.

Certaines locutions introduisent une proposition subordonnée de condition : au cas où *in case*

Exemple :

Je prends mes papiers, au cas où il y aurait du travail.
I'm taking my papers in case there should be any work.

Voilà comment vous pouvez poser des conditions en répondant à des questions dans une conversation avec un ami au sujet du travail :

Question
Tu as l'intention d'accepter du travail pendant les vacances ?

Réponse	+ condition
Oui, je chercherais peut-être du travail,	si c'était bien payé.
	à condition d'être bien payé.
	au cas où je pourrais acquérir de l'expérience.

1 Voilà d'autres exemples de questions. Essayez de répondre à ces questions en posant des conditions, comme dans l'exemple ci-dessus.

Question
Ça t'intéresserait de faire un apprentissage après l'école ?

Réponse	Formuler des conditions
Oui, ça m'intéresserait…	bien payé ?
	bonne préparation pour l'avenir ?
	ne dure pas trop longtemps ?
	très pratique et pas trop de théorie ?
	autres conditions ?

Question
Qu'est-ce que tu penses de la possibilité de travailler pendant un an avant d'aller en fac ?

Réponse	Formuler des conditions
J'aimerais peut-être passer un an à travailler…	un travail pas trop répétitif et ennuyeux ?
	des possibilités de mettre de l'argent à côté ?
	avoir du temps libre pour voyager ?
	ne pas perdre l'habitude d'étudier ?
	autres conditions ?

2 Essayez de composer un paragraphe pour décrire l'emploi idéal que vous aimeriez avoir dans l'avenir. Utilisez les locutions que vous trouverez dans les paragraphes précédants. Exprimez les conditions qu'il faudrait remplir pour ce travail.

Exemple : J'aimerais surtout avoir un emploi créatif, à condition de ne pas être mis constamment sous stress.

Lettre modèle

Mlle Eugénie Dufour
12, rue du Vieux Manoir
14291 Arbec
233-31-47-79

M. Le Directeur
Projet National des Arts
16 rue du Louvre
75000 Paris

Arbec, le 18 janvier 1999

Objet : Demande de crédits

Monsieur,

Suite à la conversation téléphonique que nous avons eue hier, je me permets de confirmer que le Ciné-Club d'Arbec souhaiterait faire partie du Festival National Cinématique qui va se dérouler du 17 au 23 août.

Dans le but de promouvoir les arts cinématiques dans le Pays d'Auge, le Ciné-Club d'Arbec se propose de passer une série de films français classiques en version 16 mm. Nous nous voyons actuellement dans l'impossibilité d'acheter le second projecteur dont nous avons besoin et de louer pour une semaine la salle polyvalente de notre commune.

Nous souhaiterions donc demander une bourse de 5000F de la part du Project National des Arts. Vous trouverez ci-inclus toute la documentation exigée par votre organisation.

Nous espérons que vous pourrez donner suite à notre demande de fonds.

Dans l'attente de vous lire, veuillez agréer, Monsieur, l'expression de mes sentiments distingués

Eugénie Dufour

Eugénie Dufour
Secrétaire du Ciné-Club d'Arbec

Developing study skills

We know that teaching provides the essential input to your studies and we know the exam demands the essential output. What is not so clear is what goes on in between. Just how do you go about learning and developing your skills?

The key to success in any examination is adequate preparation over a longish period. This is particularly important for the language student because there is no real way in which the quantity of material, in terms of words and skills, can be assimilated in a short space of time. Long-term objectives require a knowledge of aims in terms of the exam requirements, but short-term objectives mean organising yourself on a daily basis according to a regular timetable of activities. To organise your own work successfully you need to consider techniques of tackling reading and listening material and in particular the ways in which language skills support each other.

The following sections suggest ways of developing the various skills you need to do well in your AS level and A level.

Vocabulary learning

Vocabulary is probably the single most important key to better grades. It is possible and important to build up a rich and varied vocabulary, but it must be done systematically and over a period of time. There is really no short cut to learning words. It is true that they are best learned in context from an article or something similar, but at AS and A level there may often be no alternative to learning words systematically, so many a day, and going over and over them.

Here are a few suggestions for learning words. But remember that everybody has their own techniques, and you may already have better ideas of your own. Try out some of these and see if they work for you.

- Aim to learn a small number of words every day. If you could learn ten words a day, that would be over 6,000 words during the two years of an A level course.
- Carry your daily ration of words around with you, so that you can get the list out during an odd moment on the bus or during break.

- Stick your daily list around the house so that you are constantly reminded of them.
- Try grouping words to find out how you learn best. You might find that you learn best when the words are grouped around a particular theme; or if they are listed alphabetically; or if words are contained in a short phrase.
- Say a word aloud if you have the chance. You need to fix in your mind the sound shape of the word as well as its visual shape.

Of course, one of the big problems is to make sure that the words you have learned each day do not just drift away and become forgotten. You need to find ways for the words to be shifted from your short-term memory into the long-term memory. Here is a method for fixing words so that they have a chance of sticking.

- Make a set of small cards (the size of business address cards).
- Take your list of ten words for the day and write one word on each card, the French on one side and the English meaning on the other.
- Get five envelopes and mark them Day 1, Day 2, Day 3, Day 4, Day 5.
- Put all the cards at the start of this process into the Day 1 envelope. During the day, go through the words as often as you can, trying them both French side and English side up. Any word you remember at the end of the day goes into the Day 2 envelope.
- Next day is Day 1 again. Put your new words into the Day 1 envelope, then start with the Day 2 envelope. If there is any word you can't remember, it goes back into Day 1, with the new words for the day. If you can remember the Day 2 words, they move on into Day 3, and so on.

Once you have got this system working, you will have a weekly cycle of five days learning and 50 words per week. Start each day by putting your new words into the Day 1 envelope and then check if you remember what is in the Day 5 envelope. These are words you have had in the system for five days or more. If you know them after five days they can be discarded. If not, they go back to Day 1 and work through the whole system again until they are finally fixed.

1 Developing speaking skills

Quel élève êtes-vous à l'oral?

Firstly, look at the questionnaire below. *Quel élève êtes-vous à l'oral?* The top half on the left looks at you as a person and at your confidence in general. Top right relates to your personality when dealing one-to-one with a teacher or examiner. Bottom left is your ability to organise and present ideas – either on the basis of a document to prepare or just in general. Bottom right considers the issue of language correctness and fluency.

Spend two or three minutes assessing yourself. Discuss it with your neighbour if you want to.

If you are by nature rather withdrawn or shy we can't change your nature fundamentally. But speaking a foreign language is a key skill and the oral is the one part of the exam where the psychology of examiner and candidate interact, so that it is worthwhile working on ways of overcoming any shyness as well as working on the language side. If you have ticked some of the *points faibles* in the questionnaire, work at improving them by seeking occasions to conduct

---

QUEL ÉLÈVE ÊTES-VOUS A L'ORAL?

Cochez l'affirmation qui correspond à votre cas personnel

En général

- [ ] j'aime parler
- [ ] je connais mes possibilités
- [ ] je sais utiliser mes possibilités
- [ ] j'ai confiance en moi

- [ ] j'ai peur de faire des fautes
- [ ] je suis timide
- [ ] j'ai l'impression de manquer de temps
- [ ] je perds mes moyens

En tête-à tête avec un prof

- [ ] je suis plus à l'aise qu'en classe
- [ ] j'établis le dialogue
- [ ] j'oublie mon trac assez vite
- [ ] mon look est un atout

- [ ] je bredouille ou bégaie
- [ ] je fais trop long ou trop court
- [ ] je ne comprends pas les questions
- [ ] j'ai un look d'enfer qui ne plaît pas

Pour comprendre et présenter mes idées

- [ ] je comprends vite un document
- [ ] je trouve les éléments essentiels
- [ ] je trouve les idées principales
- [ ] je sais utiliser mes connaissances

- [ ] je ne sais pas me repérer
- [ ] je fais de la paraphrase
- [ ] je ne sais pas imaginer un plan
- [ ] je ne sais pas prendre des notes pour me préparer

Pour m'exprimer en français

- [ ] je sais construire mes phrases
- [ ] je suis capable de dire ce que je veux
- [ ] je trouve mes mots
- [ ] j'ai des réflexes de langue

- [ ] je manque de vocabulaire
- [ ] je ne sais jamais placer les mots
- [ ] je suis terrorisé(e) par la grammaire
- [ ] je refais toujours les mêmes erreurs

Résultats

Si vos croix se situent davantage dans le haut des quatre cadres vous avez surtout des points forts, sinon plutôt des points faibles. Il faut vous aider à vous sentir plus à l'aise et à diminuer vos points faibles.

Speaking assessment grid

Overall Assessment	Pronunciation and Intonation	Comprehension and Fluency	Accuracy	Range of Vocabulary and Structures
Very Good	Best standard expected of non-native speaker. Some errors of pronunciation but sounds convincingly French.	Almost no problems of comprehension. Ready to lead and take initiative. Capable of continuous flow.	Very few errors even in complex language.	More complex sentences. Wide range of vocabulary (adjectives, adverbs). Knowledge of idiom.
Good	Some mispronunciation, but intonation reasonably French. Clearly aware of the rules of pronunciation.	A little hesitancy but no real problems of comprehension. Generally forthcoming and able to maintain flow.	Simple language very accurate. Mostly accurate in more complex structures.	Uses a variety of structures, including subordinate clauses and past tenses. Good range of vocabulary.
Adequate	Nasals and most vowels correct but quite a number of errors and faulty intonation.	Needs a fair amount of prompting and repetition of question. Rather hesitant production.	Basic language correct but attempts to use more complex language lead to error.	Beginning to use more variety of structures. More extended vocabulary.
Poor	Very anglicised.	Poor comprehension. Understands basic questions. Halting and laboured production.	Many basic errors, eg in tense and verb forms and adjectival endings.	Only simple sentences. Vocabulary limited.
Very Poor	Hardly comprehensible.	Responds with only two or three words.	So incorrect that communication is hardly possible.	Very restricted range of vocabulary. Cannot produce full sentences.

interviews with other people – even in English – as a means of building personal confidence.

The main thought to bear in mind is that there can be no output unless you provide adequate input. That means above all, in the case of the oral, listening to as much French as you can. You need to make the rhythms of the language automatic by training your ear. This may mean setting aside 10–15 minutes a day to listen to *France Inter* or *Europe 1*, both easily received in the UK. Don't worry too much about understanding all you hear, but treat it as a way of fixing patterns of speech in your mind. Borrow cassettes from school to listen to on your walkman. There is no lack of recorded material these days. Then, taking an interview or spoken passage, listen and re-listen until you understand, then replay in short sections using the pause button. Repeat the sections you have just heard, or practise predicting the next section, or stringing sections together. If you have indicated some *points faibles* on the organisation of material and preparation of language in the bottom half of the questionnaire, concentrate on your weaknesses.

Skill-getting and skill-using

Learning to speak a language may be divided up into a phase of skill-getting and a phase of skill-using. Working with listening materials as suggested above is part of the skill-getting process. Using the skills is something that needs a partner or a group of people with whom you can interact. This book suggests numerous exercises where you can develop and use your speaking skills by working with a partner. Change partners from time to time, even if you like working with your closest friend most of all. It is important to get used to interacting with a variety of people. Although pairs activities suggest a structure and a topic for your conversation, they do allow you to get involved in real communication as well as practising new vocabulary and grammar. You can use the speaking assessment grid above to assess each other and see how you are progressing.

Speaking in the examination

The exam for which you are preparing may include one or more of the following tasks:
- a two- or three-minute short talk on a topic prepared before the exam, followed by a discussion of the topic with the examiner;

– preparation of a document, either written or visual, during the half an hour immediately preceding the exam, followed by a conversation centred around the document;

– preparation and carrying out of a communicative task, where you might have to play a role or defend a point of view;

– various types of reporting or negotiating tasks.

Whatever the test in your particular exam, the main concern is your ability to communicate in French at the level appropriate to A level. All oral exams will seek to assess six main categories of performance. These are:

– pronunciation and intonation
– comprehension
– fluency
– accuracy
– range and variety of vocabulary
– range and variety of structures.

It would be very difficult for an examiner to keep all six of these categories in mind while conducting a conversation, so they are usually grouped together in some way, as you can see from the sample oral assessment grid on page 133. For example, comprehension is linked to fluency, and range and variety of vocabulary and structures are brought together. In a task such as role-play or reporting a further important criterion is to fulfil the task, that is to say to carry out your role successfully.

It is worth taking time to look at the speaking assessment grid. You will see that each box gives a description of performance at different levels of ability for each of the main categories. Understanding a grid of this kind may help you to locate your own performance and to decide which areas you need to work on. You can see also that quite a number of factors are considered. They may not all have exactly the same weighting or importance. The mark-scheme gives you a sort of profile, which allows you to gain marks for your best feature.

As regards your performance in the general conversation, the principal thought to bear in mind is that you should try to take and hold the initiative. The examiner is trying to help you to find subjects about which you are willing to talk. If you respond in short phrases or monosyllables, the examiner has to work hard to keep finding questions to put to you. But if you practice developing your answers so that

you set out the lines of the conversation you will gain marks for response and initiative and the examiner will follow on the ground you have chosen.

2 Developing listening skills

The nature of listening comprehension

Listening comprehension may be needed for direct linguistic interaction, for example, when taking part in a conversation. Where there is no such direct linguistic interchange, listening comprehension may take the form of mental interaction, for example decoding and reacting to news items, reports, announcements and broadcast interviews or discussions. In real life, listening of this kind may have no actual linguistic output (unless we make notes on a radio programme or take down details of times and dates). In learning a language and when taking a foreign language examination there has to be a language output for the purposes of assessment, and this takes the form either of a written response or a non-verbal response (such as ticking a box), indicating recognition and understanding.

Listening comprehension requires us to decode information using different types of cues: phonological (sounds), lexical (words) and grammatical. It is this complexity of response, allied to the fleeting nature of the spoken word, which makes listening perhaps the most difficult of the language skills and the most stressful test for examination candidates.

In real life, we usually have only one chance to hear, decode and react to a piece of information heard over loudspeakers or from the radio or TV. In listening examinations, the candidate is sometimes required to listen twice to the taped material before answering questions. Or, as happens in certain examinations, the candidate has control over his/her own personal playback machine.

Suggestions for developing listening skills

To develop your listening skills it is important to have the chance to hear authentic spoken French. All passages chosen for listening comprehension should be texts originally intended to be heard, not passages of written language delivered into a microphone. There are a variety of types of authentic texts on which you may train your listening skills, including:
– everyday speech,

- announcements (eg shop, station),
- radio information (weather, traffic information),
- radio advertisements,
- *Fait divers*, news items,
- more extended interviews.

The development of listening skills is, to some extent, quantitative, involving increasing knowledge, and to some extent qualitative, involving the appropriate selection of responses. It is easy to be demoralised by listening material which is too difficult. If you can't pick up every detail, just try focusing on individual words that you recognise or on the intonation and flow of the language. Some of the strategies you need to use for interpreting a listening text are the same as those for a reading text.

You can develop your capacity for interpreting a listening text by carrying out some of the following processes:
1 Guess the meaning of unfamiliar words from the context.
2 Recognise indicators for introducing an idea, changing topic, emphasis, clarification, expressing a contrary view.
3 Distinguish the main point from supporting details.
4 Think ahead and predict later parts of the text.
5 Identify elements in the text that can help to recognise a pattern of organisation.

The following is a short list of possible approaches to developing these listening skills.
- Running-memory exercise
  This drill sets out to develop the listener's short-term memory which must be trained to store information decoded in the foreign language. Listen to a taped extract, note a word heard in a sequence, try to memorize the words that follow and then stop the tape soon after. Repeat the section of the tape you have memorized, from the word to the point where the tape stopped.
- Listening ahead
  Stop the tape at a certain point and complete the rest of the sentence.
- Following a written text
  Listen to a text and read it at the same time. This will help to bridge the gap between reading the written text and hearing the spoken word.
- Make notes on a text
  To focus the listening skills, a summary or notes are useful.

- Transcription
  Write out an exact transcription of what you hear on tape. This is a form of very intensive listening, similar to dictation, but with the opportunity of replaying the tape so as to train the ear to pick up details not at first heard.

3 Developing reading skills

The nature of reading comprehension

Comprehension of the written word is a complex activity taking place at a number of levels, starting with individual words and rising through the comprehension of phrases and sentences to a grasp of the whole text.

When you read in your mother tongue or in a foreign language you are making use of a range of skills.
1 Locate – identify, recognise, select one or several items of vocabulary or elements of information in a text.
2 Reorganise – classify, order information present in a text.
3 Compare – extract resemblances or differences present in one or more texts.
4 Infer – deduce, predict, interpret, extrapolate from the information in the text.
5 Appreciate – distinguish a fact from an opinion or a feeling. Evaluate the correctness of a piece of information; judge whether an action is good or bad.

The exercises on reading texts in this book are intended to help you develop these various skills. Often, you will be taken through a text by your teacher, who will be able to explain difficulties. But it is also useful to develop personal reading strategies, so that you know how to tackle a text if you are reading a magazine or newspaper on your own. These strategies will then be highly valuable when you are faced with a reading text in the examination.

Developing reading skills

Here is a sequence to follow when you approach a reading text.

- Stage 1 Discovering the text
  Get to grips with the text by developing comprehension strategies. If the text is on a subject with which you are familiar, you will have expectations before you start reading. Ask yourself what words are likely to appear? What subject

135

matter is likely to be included? There are many other features of an authentic text which will help you predict the likely content, such as what can you learn from headlines, layout and subtitles, and picking up clues from pictures, cartoons and other illustrations.

Skim reading: Get a general idea of the whole text by skimming your way through it before you get held up by the words and expressions you don't know. Can you already, at this stage, give a rough idea of what it is about?

Scanning: Now focus in on particular items. Locate specific information and words you know already. Confirm your understanding of the main theme of the text.

Language analysis and collection: Note down new vocabulary and phrases. Before looking up words you don't know, try to make an informed guess as to what they might mean. Write down your guess so that you can compare it later with what you find in the dictionary. When guessing at the meaning of words, make as much use as you can of words which have a similar origin and the same meaning in French and English, for example, environment and *environnement*. But also bear in mind that some words which look similar are 'false friends' or *faux amis* for example, *important* can mean 'important' but it also means 'considerable' or 'sizeable', as in *une somme d'argent importante*.

It helps if you know how words are built up in French, for example, *apprenti/apprentissage*; *chômage/chômeur*. Sometimes you must be able to spot similarities which may not be quite so obvious. For example, *gérer* and *gestion* are words commonly used in business, and it may not be immediately clear that the verb and the noun are closely linked. Now use your dictionary skills to confirm your guesses about unknown words.

- Stage 2 Working around the text
  Having established what the text means, you have to start developing techniques to help you learn and remember new material. It will help you to consolidate what you have learned so far by making an English summary of the French text. This does not mean that you should try to translate the original text but that you make sure you could convey its meaning to another person who does not understand French as well as you.

Use the vocabulary learning techniques mentioned earlier to learn and retain the new words. Practise working with new grammatical structures. (This book contains explanations of grammar points and sections called **Pratique de la grammaire** where you are given the chance to drill yourself until you get new structures right.)

- Stage 3 Working away from the text
  Now see if you can do a summary in French. Use as much of the original vocabulary of the text as you wish, as long as you don't just copy out chunks with no real understanding. This is a first chance to start using some of the newly-learned vocabulary. Eventually you will write an essay on the subject, but a way of training for this is writing short paragraphs (not more than 50–60 words), where you state the pros and cons of an issue raised in the text.

So at the final stage you see that you have moved from a starting point where you were finding out what the text was all about, to a position where you not only understand the text but have learned new vocabulary and can start to use it productively.

4 Developing writing skills

Who? Why? How?

Before you begin to write anything in French, whether it be in class for your teacher, in the examination room, for your boss at work or for personal/social reasons, you will need to decide on a number of things:
- Your purpose. Why are you writing? To inform? To persuade? To summarise?
- Your audience. Your teacher? Your boss? A friend? A fictional person in an examination situation?
- Your form. Are you writing a letter? A fax? A summary? An essay? A report?
- Your style. Will it be formal? Informal? Technical?

Reading

Your ability to adapt to various audiences, forms and styles will depend to a great extent on the breadth and depth of your reading. It is important, therefore, to read a wide variety of documents such as:
- formal letters (eg business letters),
- informal letters (to friends, family, etc.),
- faxes,
- reports,
- newspaper articles,

- newspaper editorials (which are really essays),
- descriptions (eg travel brochures, Michelin guides),
- advertisements (especially long persuasive ones),
- technical descriptions (eg *modes d'emploi*, car advertisements).

From all of these you will absorb not only vocabulary, but the style of language that is typical of such texts.

Pre-writing

Any important piece of writing needs planning. Whether you're writing a summary from a piece of French or a full-length essay, you should go through a number of steps:
- read the exam question, fax, letter, etc., at least twice,
- look at any instructions or exam rubrics at least twice,
- make notes,
- plan sections/paragraphs,
- write a draft,
- check, alter, rewrite,
- write your final version.

If you're summarising a text, start by finding five important points. Look for any subsidiary ones. If you're writing a lengthy piece, then brain-storm, writing down anything that comes to mind. To jog your mind into action, use headings to help you, such as:

Nature/Environnement – Économie – Travail – Politique – Société – Histoire – Géographie – Science – Technologie – Arts – Culture

Other topic headings may occur to you. You can write a tick-list to check that you've covered a topic from all the necessary angles. Here are some examples for a piece on unemployment in France.

- *Travail:*   *manque de postes pour les jeunes; insécurité – plus de contrats à durée indéterminée; manque d'intérét chez les jeunes.*
- *Économie:*   *besoin de subventionner les chômeurs; impôts sur la classe bourgeoise; moins on gagne, moins on dépense.*
- *Politique:*   *effets des dogmes politiques sur le marché; écart entre la classe politique et les chômeurs.*
- *Société:*   *effets de l'exclusion sur la famille; à quoi bon l'éducation?*

- *Environnement:*   *moins il y a de travail, plus l'environnement urbain se dégrade; plus l'environnement se dégrade, plus la violence augmente.*
- *Technologie:*   *les ordinateurs sont-ils responsables du chômage? qu'est-ce que la technologie peut faire pour améliorer la situation actuelle?*

You will need to be selective as you think. Discard any rubbish as you go (eg how relevant is *l'écart entre la classe politique et les chômeurs?*). This is particularly important in exams, as you will not have time to deal with excess baggage.

Planning

Nearly every kind of written text needs an introduction, a middle and a conclusion. If you're replying to a letter, you will need to:
- acknowledge receipt of the letter and thank the writer (introduction),
- respond to the points made (middle),
- close the letter appropriately (conclusion).

If you're writing an essay, you will need to:
- introduce the topic or problem (introduction),
- make various points (possibly for and against) (middle),
- reach a conclusion or leave a question in the air (conclusion).

More precise details for an essay might include the following questions:
- what is the general/current/situation?
- what is the problem?
- what can/should be done?
- what is the cause of the problem? Whose fault is it?
- what questions need to be asked?
- what is your personal view?

Once you've assembled your material, you need to consider the form in which you are going to present it.

Essay writing

If you are writing an essay, you should remember that there are two principal types.
1 The argumentative essay. In this type you argue the case for or against a particular viewpoint.
2 The discursive essay. In this type, you examine various aspects of a situation or problem and draw a conclusion.

If you are writing an argumentative essay, two possibilities are open to you. The first is as follows: you present all the points in favour of a particular argument (the thesis), and then all the points against that argument (the antithesis). The classic essay style which the French themselves favour involves the presentation of the thesis, followed by the antithesis, and then a section which presents a viewpoint somewhere between the two – the synthesis. Your essay will, of course, need an introduction and a conclusion.

The second possible way in which to present an argumentative essay is to write a positive point followed by its antithesis, a second positive point followed by its antithesis, and so on. The drawback to this manner of presentation is that it is difficult to present a synthesis of the points made for and against.

With the discursive essay, the technique is somewhat different. Since you are not required to argue for or against a particular viewpoint, you do not require the confrontational structure of the argumentative essay. You will want to range over a number of aspects of a topic, while keeping a central theme clear to yourself and your reader. This does not mean that if you are asked to look at the advantages of something you should ignore the disadvantages.

Having asked yourself the necessary preliminary questions, and decided on the form of your piece, plan an introduction, a number of sections (based on your note-making) and a conclusion.

- Paragraphing
  Each section of your text will require a separate paragraph. For each paragraph, you should decide the main point to be made and write a topic sentence, i.e. a lead sentence from which all the other sentences of the paragraph will follow. Here's an example for an essay:

  La mère de la famille monoparentale doit faire des choix. Non seulement elle doit travailler à plein temps, mais aussi elle doit veiller sur ses enfants, s'occuper des corvées de ménage et trouver le temps de se détendre. Souvent les finances ménagères lui incombent aussi. Comment peut-elle tout réussir?

  Example for a business letter:

  Nous avons le regret de vous informer que nous sommes dans l'impossibilité de fournir les machines qui font l'objet de votre commande. Un incendie s'étant déclaré le mois dernier dans nos ateliers, nos chaînes de montage ne tournent pas encore à plein rendement.

Once you've decided on the main point for each paragraph and written a topic sentence, go back to your notes and pick out the support material which will back up or exemplify what the paragraph is attempting to convey. You may wish to add any or all of the following:
- examples (*par exemple, notamment, dont le meilleur exemple est*)
- facts (*la région parisienne est une des plus polluées de France*)
- reasons (*c'est en raison de… que…*)
- anecdotal evidence (*selon mon père*)
- concrete details (*en examinant de plus près ce problème on trouve…*)
- opinions (*à mon avis, pour moi, il me semble que*)

- Transition and articulation
  If you are writing an essay you should remember that this is a very formal piece of work and it is important that its structure should be clearly visible to the reader, who should be led step by step from the beginning to the end. In order to achieve this, you need to show the links.

- Sequencing
  Here are some of the most important links as they would appear in a completed essay on violence.

  *Les raisons de la violence dans la sociéte actuelle ne sont pas difficilement repérables. **En premier lieu** vous avez un fossé qui se creuse entre les nantis et les démunis dans une société de consommation. L'envie y joue certainement un rôle primordial. **En second lieu** on subit le bombardement violent émanant du petit écran au coin du salon. **En troisième lieu** on a vu la dégradation du processus démocratique. Plus la démocratie s'est affaiblie, plus les gens dépourvus de pouvoir ont eu recours à la bombe et à la roquette.*

  Other possible sequences are:

Tout d'abord	*D'abord*	*Premièrement*	*Primo*
En outre	*Ensuite*	*Secondement*	*Secundo*
Finalement, enfin	*De plus*	*Troisièmement*	*Tertio*

  You may, of course, wish to make further points. Rather than use further ordinal numbers (*quatrièmement*, etc), you can use any of the following: *ajoutons/ajoutez à cela, après cela, puis.*

  Other terms which will enable you to add

arguments (and thus add emphasis) are *d'ailleurs*, *par ailleurs*, *de surcroît*, all of which mean 'moreover', 'in addition'. To close, you could begin your final paragraph with *en dernier lieu* (finally) or *pour terminer* (in conclusion).

● Comparing or balancing
Mettre fin à cette violence n'est peut-être pas faisable. **D'un côté** (on the one hand) *les gouvernements investissent d'énormes sommes d'argent dans la lutte contre la criminalité,* **de l'autre côté** (on the other) *l'industrie cinématographique produit de plus en plus de films violents qui entretiennent un climât de violence qui règne dans nos grandes villes.*

You can also use *d'une part… d'autre part* (on the one hand … on the other) to balance two halves of a sentence expressing a comparison or opposition.

● Opposition and contrast
Les adultes de la génération de Mai '68 ont déjà vécu une période de violence et de tensions sociales. Les jeunes d'aujourd'hui **par contre** (on the other hand) *n'ont vu ni révoltes, ni révolutions. Certains diraient même que la fracture sociale d'aujourd'hui découle de l'apathie de la génération actuelle envers les structures établies de la société.* **En réalité** (in fact), *il n'en est rien. Les jeunes d'aujourd'hui ont la soif du changement, comme leurs parents l'avaient en '68.*

Other links which express opposition and contrast are: *à la différence de* (unlike), *alors que* (whereas), *au contraire* (on the contrary, on the other hand), *en fait* (in fact), *en revanche* (on the other hand), and *mais* (but). Note that *alors que* needs a whole clause with it: *Les adultes sont passionnés à cet égard, alors que les jeunes sont tout à fait indifférents.*

Note that these links may bind sentences across paragraphs, rather than just across parts of sentences, especially in an argumentative essay in which the pros and cons of a case are being put.

● Giving examples
Les jeunes d'aujourd'hui sont de plus en plus exposés à la violence, mais il s'agit d'une violence fictive plutôt que réelle. Avec le petit écran, **par exemple** (for example), *les téléspectateurs sont témoins d'au moins vingt-trois meurtres par semaine. Il s'agit, bien sûr, d'assassinats simulés dans le cadre de polars, de films de guerre ou de science-fiction. Par ailleurs, on a vu l'essor de films violents,* **notamment** (in particular) *ceux de la série* Terminator *et les films du genre*

Silence des Agneaux. *La grande question est de savoir si les jeunes savent distinguer ce qui est réel de ce qu'on leur offre sous l'apparence de la réalité. Même les adultes sont victimes de cette confusion. Souvent ils se laissent persuader par des émissions fictives, dont* **le meilleur exemple est certainement** (the best example is undoubtedly) La Guerre des Mondes d'Orson Welles, *qui a semé la panique lors de son émission en 1933.*

● Introducing an element of restriction
On est tenté de voir dans la montée de la violence le commencement de la destruction de la société elle-même. La démocratie est en mauvaise santé, la famille se délie, le crime augmente, les industries audiovisuelles empoisonnent l'esprit des jeunes – la fin de la civilisation est inévitable à court terme. Les gens ordinaires, **pourtant** (however), *poursuivent leur train-train quotidien, les enfants vont au collège, et on risque plus de se faire écraser par une voiture que de se faire assassiner en plein jour dans un centre commercial. On n'a vraiment aucune raison de craindre le pire. Il y a,* **cependant** (however), *ceux qui ont intérêt à noircir le tableau – les rédacteurs de journaux, les cinéastes, les producteurs d'émissions télévisées – bref, ceux qui ont besoin de vendre des nouvelles, et qui savent que plus les nouvelles sont mauvaises, plus le public va s'y intéresser.*

Other elements which can be used to restrict what has been said are *néanmoins* (nevertheless), *toutefois* (however) and *de toute façon* (in any case).

Drafting

Ideally, you should write a rough version of your text. For a piece of homework or a piece of course work you will have time to go through all the above stages. The pressure of the exam room, however, won't always allow this, but practice in other circumstances will help you to make the best of your time in the examination.

If you're not in an exam, then word-process your work. You can change parts, move them about and delete sections at will. It also makes the final write-up much easier, as you can work from your draft.

When you've written your draft, read it and think about it. Do you want to add anything or remove anything? Do you want to change the order? Do you want to change any words?

Then go through the following checks.

Check for purpose. What was the original purpose of writing? Have you fulfilled that purpose?

Check for content. Have you covered (a) all the points that you've been asked to make (b) all the points that you wanted to make? Does each paragraph have a topic sentence? Do the other sentences follow logically and support it?

Check for style. Is the piece formal or informal? Have any stray expressions in the wrong style slipped in (eg informal style in a business letter)? Would altering the order of words, sentences or paragraphs improve the clarity?

Check for accuracy. Go through your work sentence by sentence and check for obvious mistakes.

Writing up the final version

Take as much time as time allows. Don't throw away your hard work by rushing the final write-up only to fill it with spelling errors or to miss out words and even lines. If you've word-processed your work, check that you've put in all the accents. If you can't do it on the machine, do it by hand on the hard copy. When you've finished check again for spelling and for accents, cedillas and punctuation.

5 Written course work

Course work usually consists of a number of pieces of work completed over the period leading to AS and A Level. A choice is usually given, such as one piece of 2000 words or two pieces of 1000 words. There may be deadlines for particular pieces to be completed.

Much of what has already been said about the essay will apply to course work. The careful planning, the structuring, the use of paragraphing, the use of logical and chronological links, quotations and the conclusion – all these must receive the same attention as is required for the essay set in a final examination paper. Course work, however, is not merely an extended essay, it has certain requirements and techniques of its own.

Choosing your topic

Course work enables you to take control of the topic on which you are writing, in that you are not pinned down by an Examiner's choice of a particular title. Certain Boards require that course work topics be chosen from the list of topics prescribed for other parts of the examination, and it is now a requirement that all course work should be based in Francophone culture. It is also the case that some Boards will not allow you to offer the same subject in course work as you offer in other parts of the examination, eg the oral. Check to see.

Your choice of topic(s) should certainly be made in conjunction with your teacher, since it is usually teachers who mark the work before it is moderated by the Exam Board.

Using your sources

You must first establish the area which you wish to research. This may be only a vague notion at first, such as 'something to do with marriage and divorce in France' or 'childhood' or, if you fancy something literary, 'the childhood memoirs of Marcel Pagnol'. You might like to think about a comparison – 'Ugolin as portrayed in the books and on the screen'. This is your starting point.

Read and absorb anything and everything on your chosen area, trying always to use French sources. Radio, TV and films should also form part of your research diet. Keep notes of what you read/see/hear, and write down anything that strikes you. You could ask your teacher to show you old AS and A Level papers, as these are often a good stepping-off point for an idea, or for the themes in a writer's work.

Choosing a title

The title is all-important. You will be judged by the way your course work corresponds to it. It is best not to choose generic titles such as *Les voitures* or *La condition féminine* as they lack any direction and even when you've finished your 1000 words, you cannot possibly have said all that there is to say.

The most productive way to tackle course work is to choose a title which asks a question, eg *Quel est l'avenir de la voiture en France?* or *La condition féminine a-t-elle vraiment changé dans la société française?* If you choose your title well and work closely with it, both your teacher and the Moderator will be able to determine if you've answered the question that you set yourself.

Literary topics

Examination candidates often choose literature as the basis for their course work. While literary topics do have their difficulties, they score highly in one respect – students can have direct experience of authors' works, and have a personal reaction to them, whereas their experience of Third World poverty, abortion and AIDS is most likely to be second-hand. Don't, however, re-tell the story of a literary work. Write **about** the work, don't re-write it. Concentrate on characters, themes, atmosphere, or ideas that appear in the book.

Drafting and writing up

Unlike essays set in final examinations, course work has the advantage of having a 'dry run'. It is usual for your teacher to see a preliminary draft of the work and to comment on it, though specific corrections are forbidden by the Boards' regulations. This enables you to produce a fair copy which shows you to your best advantage.

Whatever form you choose – letter, diary entry, newspaper report, etc. – structure your work carefully as you write – every form needs a beginning, a middle and an end! All mark schemes award points for structure and development, and the steps in your argument should be clearly visible to your reader.

It is often the case that you will want to compare two things/characters/events. If you do this, remember to **compare** (find similarities) and **contrast** (find differences), and then evaluate. Is one thing more advantageous, efficient, unfair, useful? Is one character more trustworthy, devious, despicable, admirable? What effect does this comparison and contrast have on your subject matter? Evaluation and judgement are the key words here. Draw a conclusion.

Linguistic accuracy

Course work is not the area in which linguistic accuracy is tested. There are, of course, marks awarded for accuracy, but these are far outweighed by marks awarded for content, structure and development, knowledge of subject, range of expression and similar categories. Nevertheless, marks are available for accuracy and you should take advantage of this. After your first draft, your teacher may well comment "Have a good look at agreements between nouns and adjectives", or "Check your irregular verbs in the present tense. How many *je* forms end in *-t*?" (The answer is, of course, none!). Check your spellings, too. These should include the names of characters if you are engaged on a literary piece. It is surprising how many candidates cannot spell the names of characters and, worse, even the title of the book!

Presentation

Presentation of the final piece is important. You cannot expect busy teachers and Moderators to have a good impression of your work if it looks poorly presented. It is worthwhile taking the time and trouble to present your work in word-processed form.

You can, of course, add to the presentation of your work with photographs, illustrations, maps and tables. No marks are awarded for presentation, but since you will eventually get your work back, it should certainly be well-presented for your own satisfaction!

Word Count

All course work has word limits. This is not a means of restricting candidates' flow and creativity. It simply ensures that like is being compared with like, and that candidates are being judicious in their use of their sources. You can't, for instance, compare a piece of 1000 words with another on the same topic of 5000. Examination Boards tolerate a certain excess of words over the given limit, but there are warnings to candidates that they will lose marks if they exceed the very upper limit. There is no lower limit set on the length of pieces of course work, but if you don't write much, you can't say much. Write up to the upper limit.

Quotation and plagiarism

Quotation forms an important part of the art of essay writing. It is quite legitimate to quote pieces from other authors in support of your case and to use illustrative fragments of text from literary works to give authority to your assertions. You must, however, acknowledge that these are quotations from other authors and are not your own work. Put quotation marks around them and write the name of the author and the work.

You will be required to state on a covering document that all the work presented is your own. If you quote from other authors without acknowledging this you would be guilty of plagiarism, and the Board could exact penalties ranging from withdrawal of marks to complete disqualification from the A Level or AS examination.

6 Using the dictionary

The dictionary is one of the most valuable tools that a linguist can possess. Using bi-lingual and monolingual dictionaries should become second-nature to the A Level student.

Using the bi-lingual dictionary

French–English

We may need the French–English section of the dictionary for any of the following reasons:
- to find the meaning of a French word or expression,
- to find the pronunciation of a word or expression,
- to find what type of word we are checking (noun, adjective, preposition, etc.),
- to find the gender of a noun,
- to find the meaning of metaphorical uses (eg *tiré par les cheveux* = far-fetched),
- to find related words grouped under the same entry,
- to check our researches from the English–French section.

Checking words in a bi-lingual dictionary should be done with care, and once you think that you have the meaning of a French word you should check the English–French section to verify your findings.

Words are, of course, grouped alphabetically. A typical dictionary entry looks like this:

débit [debi] **nm** (*d'un liquide*, *fleuve*) (rate of) flow; (*d'un magasin*) turnover (of goods); (*élocution*) delivery; (*bancaire*) debit; **avoir un ~ de 10 F** to be 10 F in debit; **~ de boissons** drinking establishment; **~ de tabac** tobacconist's (shop) (*Brit.*), tobacco *ou* smoke

The head word

This is printed in bold. Verbs will be given in the infinitive form. Thus if you want to know what *j'acquiers* means, you must make an educated guess and hunt for an infinitive with a similar beginning, in this case *acquérir*.

poulet [pulɛ] **nm** (*Culin*, *Zool*) chicken;

head word —

Pronunciation

This is usually given in characters drawn from the International Phonetic Alphabet. Examples of each character and its pronunciation are usually given in the early part of the dictionary.

déblai [deblɛ] **nm** earth (*moved*).

pronunciation —

Part of speech

This tells you the type of word that you're dealing with. Thus **nf** means 'noun, feminine', and **v tr** means 'verb, transitive'. Again, a key is listed early in the dictionary. If you're uncertain, check a grammar dictionary or ask your teacher. Some dictionaries divide parts of speech up into sub-categories, which may be numbered.

tirer [tiʀe] ① **1 vt a** (*amener vers soi*)

part of speech —

Meaning

The meaning, or translation, is (usually) the fourth piece of information in the entry. It is printed in a different typeface from the head word:

débit 1 (*vente*) turnover, sales

The main meaning is given first, followed by examples of use and variations in meaning. If a word has two or more separate fields of meaning, these will usually be marked by Arabic numerals, **1**, **2**, **3**, etc.

débattre [debatʀ(ə)] **vt** to discuss, debate; **se ~ vi** to struggle.

meaning —

Abbreviations

To save space, repetitions of the entry may be abbreviated: **débit 1** (*vente*) turnover, sales; **d. de tabac** tobacconist's shop.
Alternatively, the symbol ~ replaces the entry: **~ de boissons** drinking establishment.

tirelire [tiʀliʀ] **nf** a moneybox; (*en forme de cochon*) piggy bank; **casser la ~** to break open the piggy bank.

abbreviation —

Metaphors and idioms

Uses of words and expressions other than in their literal sense occur towards the end of a dictionary entry. Thus:

échasse nf stilt… **Il est monté sur des échasses** He's long in the leg, he has long legs.

> **poule**[1] [pul] **1 nf a** (*Zool*) hen; (*Culin*) (boiling) fowl. (*fig*) **se lever avec les ~s** to get up with the lark (*Brit*) *ou* birds (*US*), be an early riser; **se coucher avec les ~s** to go to bed early; **quand les ~s auront des dents** when pigs can fly *ou* have wings; **être comme une ~ qui a trouvé un couteau** to be at a complete loss;

idiomatic uses ⎯⎯⎯⎯⎯⎯

English–French

We shall need the English–French section:
- to find the French equivalent of an English word or expression,
- to narrow our choice of expressions in accordance with the examples given,
- to check our researches from the French–English section.

Suppose we wanted to say something like 'It is very important to dream'. If we look up 'dream', we find the following entry:

> **dream** [driːm] **n** rêve **m** ♦ **vt, vi** (pt, pp **dreamed** *or* **dreamt** [drɛmt]) rêver; **to have a ~ about sb/sth** rêver à qn/qch; **sweet ~s!** faites de beaux rêves!

The first translation is *rêve* – but this is marked with **n** and **m** – it's a masculine noun, not a verb. The next entry is *rêver*, marked **vt**, **vi** (verb transitive, verb intransitive). This is the word that we want.

Now there is one more stage – to check the entry in the French–English end.

> **rêver** [ʀeve] ① **1 vi a** [*dormeur*] to dream (*de*, *à* of, about). **~ que** to dream that; **j'ai rêvé de toi** I dreamt about *ou* of you; **il en rêve la nuit*** he dreams about it at night; **~ tout éveillé** to be lost in a daydream; **je ne rêve pas, c'est bien vrai?** I'm not imagining it

Obviously, *rêver* fits the bill.

It's a useful practice to browse through any dictionary entry that you use, in order to pick up extra meanings or colloquial usages. You should then note these down.

Using the monolingual dictionary

We will use a monolingual French dictionary for all the above purposes, and also:
- to find a synonym (a word or expression having the same meaning),
- to find a definition,
- to find the earliest usage or derivation of a word.

Thus, if we'd looked up *rêver* in a monolingual dictionary, we would have found:

> **rêver v.i.** Faire des rêves. Laisser aller son imagination.

The first entry is a synonym. The second is perhaps the more useful, as it defines the action and clarifies the meaning.

A rarer and more advanced use is to find out something of the history of a word. If we were curious about the word *désormais*, a monolingual dictionary would explain much:

> **DÉSORMAIS** [dezɔʀmɛ]. **adv.** (xiie; de *dés-*, or « maintenant », et *mais* « plus »). À partir du moment actuel (s'emploie pour un comportement ou avec un attribut). V. **Avenir** (à l'avenir), **dorénavant**. *Désormais je ne l'écouterai plus. Les portes seront désormais fermées après 5 h.*

This tells us that the word was first recorded in the 12th century and is made up of three shorter words. It also gives the meaning and an example, as well as referring us to other words (**V. Avenir**). So it's both useful and interesting.

Grammar

Nouns (*les noms*)

01   The noun (*le nom*)

Common nouns are written with an initial small letter, proper nouns with a capital letter. Note that days and months in French are not written with a capital.

02   Gender (*le genre*)

French nouns are classified into two genders – masculine and feminine. In general, the grammatical gender of animate, i.e. living, nouns corresponds with the sex of the creature named, i.e. male animals are masculine and female ones are feminine.

03   Masculine nouns

The following will help you to learn which nouns are masculine:

Example	Explanation
l'ordinateur, le fils, le dragon	Most nouns ending in a consonant. Some exceptions: *dent, faim, fin, fleur, fois, forêt, main, mer, mort, nuit, paix, plupart, soif, voix*
le fermier, le soldat	Most males except: *la victime*
le facteur, le technicien	Male agents ending in *-eur* and *-ien*
le nord	All points of the compass
le kilogramme, le mètre	All decimal weights and measures
le lundi, le janvier dernier, le printemps	Days, months and seasons
le Japon, le Canada, les États-Unis	Names of countries not ending in *-e* mute
le français	All languages

Many masculine nouns may be recognised by their endings:

Ending	Example	Exceptions
-age	*le fromage, le chômage*	*cage, image, nage, page, rage*
-é	*un employé*	Not abstract nouns in *-té* or *-tié*: *la bonté, une amitié*
-eau	*un chameau*	*l'eau, la peau*
-ème	*le problème*	*la crème*
-ment	*le monument, l'abaissement*	*la jument* = mare
Also (with some exceptions): *-acle, -ail, -al, -asme, -at, -aume, -ège, -eil, -el, -ent, -er, -ès, -et, -eur, -i, -ice, -ier, -ige, -isme, -o, -oir, -oire, -ot, -ou, -tère.*		

04 Feminine nouns

The following will help you to learn which nouns are feminine:

Example	Explanation	Exceptions
la femme, la fille	Most females	Even if they are female, the following remain grammatically masculine: *écrivain, médecin, professeur*
la vertu, l'honnêteté	Most abstract nouns	*le vice*
la physique, la philosophie	Most branches of science and learning	*le droit* = law
la France, l'Angleterre	European countries ending in -*e* mute	

Many feminine nouns may be recognised by their endings:

Ending	Example	Exceptions
-*ée*	*une année, la pensée*	*lycée, mausolée, musée*
-*ette*	*la cigarette*	*le squelette*
-*eur* (abstract)	*la chaleur, l'humeur*	*bonheur, déshonneur, honneur, malheur*
-*ie*	*la folie, la partie*	*génie, incendie, parapluie*
-*ière*	*la manière, la cafetière*	*le cimetière*
-*ion*	*la natation, l'information*	*avion, camion, champion, lion, million*
-*té*, -*ité*, -*itié*	*la bonté, la vérité, l'amitié*	*comité, comté, côté, été*
-*ure*	*la nature, la créature*	*le murmure*
Also (with some exceptions): -*ade*, -*aie*, -*aille*, -*aine*, -*aison*, -*ance*, -*ande*, -*anse*, -*elle*, -*ence*, -*ense*, -*esse*, -*ille*, -*ine*, -*ise*, -*tude*, -*ue*, -*ule*, -*une*, -*ure*.		

05 Feminine nouns derived from masculine nouns

Many feminine nouns may be derived from masculines by following certain rules:

Masculine type	Change	Feminine form
marchand, bourgeois	Add -*e*	*marchande, bourgeoise*
agneau, chameau	Change -*eau* to -*elle*	*agnelle, chamelle*
gardien, Breton	Change -*n* to -*nne*	*gardienne, Bretonne*
cadet	Change -*t* to -*tte*	*cadette*. Except: *préfet, préfète*
boulanger, fermier	Change -*er* to -*ère*	*boulangère, fermière*
époux	Change -*x* to -*se*	*épouse*
Juif, veuf	Change -*f* to -*ve*	*Juive, veuve*
menteur (noun derived from verb)	Change -*eur* to -*euse*	*menteuse*. Except: *mineur, mineure*
acteur	Change -*teur* to -*trice*	*actrice*

06 Nouns with two genders

Some nouns have identical sound and appearance, but their meaning varies according to their gender:

Masculine	Meaning	Feminine	Meaning
le critique	critic	*la critique*	criticism
le livre	book	*la livre*	pound
le manche	handle	*la manche*	sleeve; *la Manche*: the English Channel
le mémoire	memorandum	*la mémoire*	memory
le mode	manner, way	*la mode*	fashion
le page	page-boy	*la page*	page
le pendule	pendulum	*la pendule*	clock
le poêle	stove	*la poêle*	frying-pan
le politique	politician	*la politique*	policy, politics
le poste	post, job	*la poste*	post office
le somme	nap, sleep	*la somme*	sum
le tour	tour, turn, trick	*la tour*	tower
le voile	veil	*la voile*	sail, sailing

07 Plurals (*le pluriel*)

French nouns form their plurals in the following ways:

Singular	Change	Plural	Comment
le livre, la fille	Add *-s*	*les livres, les filles*	This applies to most nouns. The *-s* is not pronounced
le fils	No change	*les fils*	The *-s* is pronounced in both singular and plural
la noix = nut	No change	*les noix*	
le nez	No change	*les nez*	
un os	No change	*des os*	The *-s* is pronounced in the singular, but not in the plural
un animal	Change *-al* to *-aux*	*des animaux*	Except: *bals, carnavals, cérémonials, festivals*
un tuyau, *un bateau,* *un cheveu*	Change *-au, -eau,* *-eu* to *-aux, -eaux,* *-eux*	*des tuyaux,* *des bateaux,* *des cheveux*	Except: *un pneu, des pneus*
un trou	Change *-ou* to *-ous*	*des trous*	Except: *bijoux, cailloux, choux, genoux, hiboux*
le travail	Change *-ail* to *-aux*	*les travaux*	Except: *détails, éventails*

08 The definite article (*l'article défini*)

Articles are placed before the noun and show number and gender. The definite article usually corresponds to English 'the'. Its forms are as follows:

	Singular	Plural	Comment
Masculine	*le, l'*	*les*	*le* precedes an initial consonant or *h* aspirate: *le livre, le hibou*; *l'* precedes an initial vowel or *h* mute: *l'animal, l'homme.* Except: *le huit, le onze*
Feminine	*la, l'*	*les*	*la* precedes an initial consonant or *h* aspirate: *la femme, la haie*; *l'* precedes an initial vowel or *h* mute: *l'actrice, l'homéopathie.*

Note: The *-s* of the plural *les* will not be pronounced before a consonant, but will liaise with a following vowel and be pronounced as *-z*: *les animaux, les observations*

The following contractions occur:
à + le = au ; à + les = aux ; de + le = du ; de + les = des

09 Uses of the definite article

Example	Explanation
Les Français aiment le vin	Generic use: Frenchmen in general and wine in general
Je n'ouvrais les yeux qu'à 7 heures	*Les* shows *yeux* belong to speaker
Le dimanche on allait à l'église	On Sundays NB *Dimanche* = on Sundays alone
25 francs le kilo, 60 francs la bouteille, 75 francs le mètre, 5 francs la pièce	Corresponds to English 'per' or 'a'
La France n'accepte pas cette décision	The article forms part of the name of countries, provinces and continents
Tu aimes le français?	The article is used with languages
L'oncle Jules lisait le journal	The article is used with titles
Le petit Paul se couchait tard	A proper noun is qualified (by *petit*), and so the article is required
J'ai mal à la tête; Il a les yeux bleus; La semaine dernière; Je n'ai pas le temps; Partir le premier	These are idiomatic expressions: the article is either omitted in English, or another expression is used

10 The indefinite article (*l'article indéfini*)

This usually corresponds to 'a' or 'an' in the singular, 'some' or 'any' in the plural. It has the following forms

	Singular	Plural
Masculine	*un*	*des*
Feminine	*une*	*des*

11   Uses of the indefinite article

Example	Explanation
J'ai acheté **une** *nouvelle voiture*	This corresponds to English use: 'a new car'.
Elle a agi avec **un** *grand courage*	The abstract noun *courage* is qualified by *grand*. Article required
Il a mangé **une** *seule pomme*	He ate only **one** apple. The adjective *seul(e)* is added to give emphasis

12   The partitive article (*l'article partitif*)

The partitive article indicates an indeterminate number or amount of the noun to which it is attached. It often corresponds to 'some' or 'any' in English. It has the following forms:

	Singular	Plural	Comment
Masculine	*du* *de l'*	*des*	*du* precedes an initial consonant: *du pain* (= some bread); *de l'* precedes a vowel: *de l'ail* (= some garlic)
Feminine	*de la* *de l'*	*des*	*de la* precedes a consonant: *de la confiture* (= some jam); *de l'* precedes a vowel: *de l'eau* (= some water)

13   Uses of the partitive article

Example	Explanation
Il y a **des** *enfants sans morale*	This indicates an indefinite number
Il faut **du** *beurre et* **de la** *crème*	This indicates an indefinite amount
Je prends un verre **de** *cognac*	Partitive reduced to *de* after a definite measure or quantity
En échange **de** *monnaie occidentale;* *Il y a beaucoup* **d'***illettrés*	After expressions containing *de*, the partitive disappears
De *gros villages se situent autour de la ville*	When a plural adjective precedes a noun, *des* becomes *de*
Des jeunes gens *sont arrivés*	When the partitive + adjective + noun group form a single unit of meaning (eg youngsters), the above rule does not apply

14   Omission of the article

Nouns are usually preceded by articles in French, but there are certain cases in which the article is omitted.

Example	Explanation	Exceptions
Ambassade de France	Equivalent to *français(e)*	*Mon père était* **un** *médecin célèbre* – Here *médecin* is qualified by an adjective
Mon père était médecin	*médecin* is the complement of *être*	
Hommes, femmes, enfants – tous sont sortis	In lists and enumerations no article is needed	
M. Leclerc, ministre de la défense, a démissionné	Nouns in apposition (referring to a preceding noun) need no article	
Il est parti sans bagages	No article with *sans, avec, par, ni*	
J'ai chaud; Il a peur	Noun and verb form a single meaning	

Adjectives (*les adjectives*)

15 The adjective (*l'adjectif*)

The adjective is a word which qualifies a noun, drawing attention to some feature or quality. Most agree in number (singular/plural) and gender (masculine/feminine) with the noun to which they are attached, as follows:

	Singular	Plural
Masculine	–	-s
Feminine	-e	-es

16 Formation of the feminine

Masculine type	Feminine	Comments
riche	riche	No extra -e is added
vert	verte	A previously silent final consonant is now pronounced
cruel,	cruelle,	In this and the following six types, the consonant is
pareil, vénétien,	pareille, vénétienne,	doubled before the -e
breton	bretonne	
muet	muette	Except: *complet, complète; discret, discrète; inquiet, inquiète; secret, secrète*
sot	sotte	Except: *idiot, idiote*
gros	grosse	Except: *ras, rase; gris, grise*
actif	active	Note: *bref, brève*
heureux	heureuse	Except: *doux, douce; faux, fausse,*
léger	légère	
flatteur	flatteuse	
accusateur	accusatrice	
majeur, mineur,	majeure, mineure	These adjectives form their feminine in the regular way
meilleur	meilleure	
aigu	aiguë	Feminine: *e* is pronounced

The following are some exceptions to the general rules above: *blanc, blanche; franc, franche; sec, sèche; frais, fraîche; gentil, gentille; nul, nulle; public, publique; grec, grecque; long, longue; bénin, bénigne; malin, maligne; favori, favorite.*

17 Some irregular adjectives

Some adjectives have irregular forms for the feminine, and special forms in the masculine singular which are used before vowels or *h* mute.

Masculine singular form before consonant	Masculine singular form before vowel/h mute	Feminine singular form
Un beau garçon	un bel arbre	une belle fille
Un nouveau livre	un nouvel aéroport	une nouvelle maison
Un vieux château	un vieil homme	une vieille dame

18   Formation of the plural

All feminine adjectives form their plural by adding *-s* to the singular. Most masculine adjectives follow this pattern, but there are some exceptions:

Singular type	Plural type
heureux	*heureux*
gros	*gros*
beau	*beaux*
brutal	*brutaux*
	Except: *fatal, fatals;*
	glacial, glacials; naval, navals

19   Comparison (*la comparaison*)

Equality	Superiority	Inferiority
Anne est **aussi** *grande* **que** *Michèle* = Anne is **as tall as** Michèle	*Anne est* **plus** *grande* **que** *Jean* = Anne is **taller than** John	*Michèle est* **moins** *grande* **qu'***Anne/* *Michèle n'est pas* **aussi/si** *grande* **qu'***Anne* = Michèle is **not as tall as** Anne

N.B. Adverbs are compared in the same way : *Il travaille* **plus** *lentement que* **moi**.

20   Irregular comparatives

Positive	Comparative	Comment
bon	*meilleur*	
mauvais	*pire*	*pire* has emotional overtones – *plus mauvais* is more common
petit	*moindre*	*plus petit* is the more common usage

21   The superlative (*le superlatif*)

The superlative is formed with the definite article *le*, *la* or *les*:

Masculine	Feminine	Plural
Mickaël est **le plus grand** *de la classe* = Mickaël is **the tallest in** the class. N.B. *de* not *dans*	*Claire est* **la plus** *intelligente de la classe* = Claire is **the brightest in** the class	*Ces départements sont* **les plus démunis de** *France* = These departments are **the most under-resourced** in France

N.B. The superlative of adverbs is similar, but the article is always **le**: *Elle travaille* **le plus** *lentement*.

22   Position of the adjective

The following types of adjective are always placed after the noun:

Example	Explanation
le gouvernement **français**	adjective of nationality
une table **Louis XV**	noun used as adjective
le patrimoine **architectural et immobilier**	adjectives joined by *et* (or *ou*)
des maisons assez bien **bâties**	adjective modified by an adverb

In the following cases the adjective is usually placed after the noun:

Example	Explanation	Exception
la vie individuelle	A long adjective follows a short noun	
une ville énorme	Adjective expresses physical characteristics	
une chemise bleue	Adjectives of colour follow	*de noirs chagrins* – metaphorical use
Je n'étais pas une jeune fille gâtée	Past participle used as an adjective agrees	*prétendu* = alleged: precedes the noun
l'herbe mourante = the dying grass	Present participle used adjectivally agrees	*soi-disant* = self-styled: precedes the noun

The following adjectives are always placed before the noun:

Example	Explanation	Exceptions
la deuxième rue à gauche	Ordinal numbers	*Louis Quatorze*, etc.
le Grand Meaulnes	Adjective qualifies proper noun	

Some common adjectives are usually placed before the noun:

Adjective	Example
beau, bel, belle	*Une très belle cathédrale*
bon, bonne	*Le bon vieux temps* (= the good old days)
excellent	*J'ai reçu d'excellentes nouvelles*
gentil, gentille	*Une très gentille dame*
grand	*A ma grande surprise,…*
Similarly: *gros, jeune, joli, long, mauvais, meilleur, nouveau, petit, vaste, vieux, vilain*	

23 Possessive adjectives (*les adjectifs possessifs*)

Subject form	Masc. singular	Fem. Singular	Plural
je	*mon*	*ma*	*mes*
tu	*ton*	*ta*	*tes*
il/elle	*son*	*sa*	*ses*
nous	*notre*	*notre*	*nos*
vous	*votre*	*votre*	*vos*
ils/elles	*leur*	*leur*	*leurs*

Use	Comment
*Sophie a dit: "**Mon** frère s'appelle Alain, et **ma** soeur s'appelle Isabelle. **Mon** amie s'appelle Claire"*	The gender of the possessive adjective depends on the gender of the person or object possessed, not the sex of the subject. A feminine noun beginning with a vowel is preceded by *mon*, not *ma*, for liaison. Similarly with *ton* and *son*.
*Il a passé **sa** petite enfance à Jersey; **sa** soeur a passé **ses** premières années en France*	*Son, sa* and *ses* mean 'his' or 'her'. 'He spent part of his childhood …; **his** sister spent **her** early years …' See note above
*Ils ont pris **leur** manteau*	*Nous, vous* and *ils* require the singular of the possessive if each person owns one object
*Chacun à **son** goût*	*Chacun, on* and *tout le monde* use the *il/elle* form of the possessive

24 Demonstrative adjectives (*les adjectifs démonstratifs*)

	Singular	Plural
Masculine	*ce* *cet* (before vowel/h mute)	*ces*
Feminine	*cette*	*ces*

Ce, cet and *cette* correspond to both 'this' and 'that' in English. The distinction is determined by context. Add *-ci* or *-là* to the noun to stress **this**-ness or **that**-ness.

Example	Explanation
*Nous avons vraiment besoin de **cet** aéroport*	The masculine noun begins with a vowel
***Cet** homme n'a rien fait*	The masculine noun begins with *h* mute
*J'ai besoin de **ce livre-ci**, et non pas de celui-là*	I need **this** book, not that one. Note: *ce livre-ci* = this book

25 Interrogative adjectives (*les adjectifs interrogatifs*)

The interrogative adjective ('which?' 'what?') has the following forms:

	Singular	Plural
Masculine	*quel*	*quels*
Feminine	*quelle*	*quelles*

It is used as follows:

Example	Explanation
Quelle heure est-il?	What time is it?
Quel livre as-tu acheté?	Which book did you buy?
Quelles sont les raisons de cela?	What are the reasons for that? Note that *sont* separates noun and adjective

The interrogative adjective may be used in exclamations:
Quelle belle maison! = What a lovely house!; *Quelle horreur!* = How horrible!

Pronouns (*le pronom*)

26 The pronoun (*le pronom*)

Pronouns replace a noun, adjective or prepositional phrase that has already been mentioned. Pronouns that replace nouns are marked for number and gender.

27 Disjunctive pronouns (*les pronoms disjonctifs*)

These pronouns can (1) stand on their own (*Qui a fait ça? Moi.*); (2) reinforce subject pronouns (*Moi, je l'ai fait*); (3) occur after prepositions (*avec, pour, après, chez*, etc.: *On va chez toi? Non, tu peux venir chez moi*); and (4) form the basis of the emphatic forms (*Je l'ai fait moi-même* = I did it myself). Reference in the table below is to people, but *lui, elle, eux* and *elles* can also refer to objects, ideas or concepts.

Pronoun	Example
moi	*Moi, j'aime le jazz*
toi	*Ce cadeau est pour toi*
lui	*Mathieu? Il est bête, lui!*
elle	*Je suis venu après elle*
nous	*Chez nous, on a une piscine*
vous	*C'est à vous qu'il veut parler*
eux	*Eux, ils sont partis. Moi, je suis resté.*
elles	*Marie et Anne? Elles l'ont fait elles-mêmes*

28 Direct object (DO) and indirect object (IDO) pronouns (*le pronom personnel complément*)

Direct object pronouns generally stand in place of a noun (*Tu connais Alain? – Oui, je **le** connais*). They are placed before the verb (*Tu veux ce livre? – Oui je **le** veux*).

Indirect object pronouns replace nouns which stand as indirect objects, i.e. which are usually preceded by the preposition *à*: *Qu'est-ce que tu as donné à Jean? – Je **lui** ai donné de l'argent.*

Subject form	DO form	Example	IDO form	Example
je	*me*	*Il **me** connaît*	*me*	*Il **me** prête de l'argent*
tu	*te*	***Te** connaît-il*	*te*	*Il **te** permet de partir?*
il	*le*	*Alain? Oui, je **le** connais*	*lui*	*Je **lui** ai offert un cadeau*
elle	*la*	*Marie? Tu **la** connais?*	*lui*	*Marie? Je **lui** ai donné un livre*
nous	*nous*	*Ils **nous** connaissent*	*nous*	*On **nous** a promis de venir réparer le robinet*
vous	*vous*	*Est-ce qu'il **vous** connaît?*	*vous*	*Je **vous** offre ce vin avec mes compliments*
ils	*les*	*Les Martin? Oui, je **les** connais.*	*leur*	*Je **leur** ai donné de vieux meubles*
elles	*les*	*Les filles? Oui je **les** ai vues, là-bas*	*leur*	*J'ai vu Pauline et Suzanne et je **leur** ai dit "Bonjour"*

Note: In constructions involving verb + infinitive, the pronoun precedes the infinitive: *Tu veux garder ce livre? – Oui, je veux **le** garder.*

29 Reflexive pronouns (*les pronoms personnels réfléchis*)

These pronouns are used with reflexive verbs (*se lever*, etc.). They may be direct object (DO) or indirect objects (IDO). The forms are the same for both DO and IDO.

Subject form	Reflexive form	Example
je	*me*	*Je me lève à sept heures* (DO)
tu	*te*	*Tu te promènes dans le parc?* (DO)
il	*se*	*Alain se dépêche vers la porte* (DO)
elle	*se*	*Jeanne s'est cassé le bras* (IDO)
nous	*nous*	*Nous nous sommes levés à 6 heures* (DO)
vous	*vous*	*Vous vous êtes téléphoné?* (IDO) (i.e. each other)
ils	*se*	*Ils se sont couchés de bonne heure* (DO)
elles	*se*	*Elles s'écrivent tous les mois* (IDO)

30 Possessive pronouns (*les pronoms possessifs*)

Possessive pronouns correspond to 'mine', 'yours', 'his', 'hers', etc. The forms of both the article (*le, la, les*) and the pronoun are dependent on the noun or nouns to which they refer.

Subject form	One object masculine	Several objects masculine	One object feminine	Several objects feminine
je	*le mien*	*les miens*	*la mienne*	*les miennes*
tu	*le tien*	*les tiens*	*la tienne*	*les tiennes*
il, elle, on	*le sien*	*les siens*	*la sienne*	*les siennes*
nous	*le nôtre*	*les nôtres*	*la nôtre*	*les nôtres*
vous	*le vôtre*	*les vôtres*	*la vôtre*	*les vôtres*
ils, elles	*le leur*	*les leurs*	*la leur*	*les leurs*

Example: *– On va prendre ma voiture? – Non, je préférerais prendre* **la mienne**.

31 Demonstrative pronouns (*les pronoms démonstratifs*)

	Singular	Plural
Masculine	*celui*	*ceux*
Feminine	*celle*	*celles*

These pronouns are followed (1) by *de*, to indicate possession; (2) by *-ci* or *-là* to indicate position; or (3) by a relative clause beginning with *qui, que* (*qu'*) or *dont*.

Example	Explanation
On va prendre **ma voiture**? *– Non, on va prendre* **celle de** *Pierre*	*Voiture* is feminine singular, so *celle* is used. *Celle de* = the one belonging to
Il y a deux **livres** *sur la table. Passe-moi* **celui-là**!	*Livre* is masculine, so the masculine pronoun is required. *Celui-là* = that one
Je ne trouve pas **mes clés**. *Alors, je prends* **celles** *qui sont sur la table*	*Clés* is feminine plural, so *celles* is used. *Celles qui* = the ones which (subject of verb)
Il me manque toujours un **livre**. *Je prends* **ceux** *que j'ai déjà trouvés*	*Livre* is masculine, so *ceux*, referring to several is used. *Ceux que* = the ones which (object of verb)
Tu cherches **ce couteau**? *– Non,* **celui dont** *j'ai besoin est plus petit*	*Avoir besoin* uses *de*. *Dont* is the relative pronoun replacing *de*.

32 Relative pronouns (*les pronoms relatifs*)

Relative pronouns stand at the head of a clause which refers to a noun and tells us more about that noun.

Example	Explanation
Georges Pompidou – un président **qui** *aimait tout ce qui était jeune et neuf*	*qui* is the subject of the verb *aimait*, and refers back to *un président*
Voici le livre **que** *tu cherchais*	*que* is the object of *cherchais* and refers back to *le livre*
Il y a des usines de produits chimiques **dont** *on a peur*	*avoir peur* takes *de*, so the relative pronoun is *dont*, not *que*
J'ai rencontré hier l'homme **dont** *le fils a été kidnappé*	*dont* here means 'whose'
La ville **où** *j'habitais n'était pas très jolie*	*où* means 'where' or 'in which'
Voici ce à **quoi** *je pensais*	*quoi* refers to no specific noun. It means 'what', and follows prepositions

Note: *Qui* is used to refer to things as well as people. *La commande qui fait l'objet de cette lettre.* It is usual to place the relative pronoun as close as possible after the noun to which it refers (its antecedents). Thus *un président qui…*; *le livre que…*; *des usines de produits chimiques dont…*

The verb (*le verbe*)

Simple (single word) tenses (*les temps simples*)

33 The present tense (*le présent*)

There are three major groups of regular verbs (*-er, -ir, -re*). In the majority of cases, endings are added to a stem formed from the infinitive. The three major groups are as follows:

Subject	*donner*	*finir*	*vendre*
je	*donne*	*finis*	*vends*
tu	*donnes*	*finis*	*vends*
il, elle, on	*donne*	*finit*	*vend*
nous	*donnons*	*finissons*	*vendons*
vous	*donnez*	*finissez*	*vendez*
ils, elles	*donnent*	*finissent*	*vendent*

A small group of *-ir* verbs have *-er* endings in the present tense. These include *(ac)cueillir, ouvrir, couvrir* (and derivatives) and *offrir*. Thus: *ouvrir – j'ouvre, tu ouvres*, etc.

In the singular forms, a second group of *-ir* verbs loses the consonant preceding the *-ir* ending. This is restored in the plural forms:

Singular subject	*sortir*	Plural subject	*sortir*
je	*sors*	*nous*	*sortons*
tu	*sors*	*vous*	*sortez*
il, elle, on	*sort*	*ils, elles*	*sortent*

This group includes *partir, (se) sentir, mentir* and *servir*.

A number of verbs have alterations within their structure. In these verbs, the *je, tu, il/elle/on* and *ils/elles* forms share a feature in common, while the *nous* and *vous* forms resemble each other in a different way and are more like the infinitive.

Type	Infinitive	*je* form	*nous* and *vous* forms
1	*jeter*	*je jette*	*nous jetons, vous jetez*
2	*acheter*	*j'achète*	*nous achetons, vous achetez*
3	*espérer*	*j'espère*	*nous espérons, vous espérez*
4	*payer*	*je paie*	*nous payons, vous payez*

Verbs of these types include:

Type	Infinitive
1	*(s')appeler, épeler, étinceler, feuilleter, (se) rappeler, rejeter, renouveler*
2	*achever, crever, geler, peser, mener, (r)amener, emmener, (se) promener*
3	*céder, compléter, délibérer, exagérer, excéder, (s') inquiéter, libérer, refléter, répéter, sécher, suggérer, tolérer*
4	*coudoyer, employer, (s')ennuyer, essayer, nettoyer, (se) noyer, (se) tutoyer, (se) vouvoyer*

In order to indicate that *-c-* and *-g-* are pronounced as soft consonants, some verbs have a modified *nous* form. These are as follows:

Infinitive	*nous* form	Similar verbs
manger	*nous mangeons*	*bouger, partager, protéger, voyager*
commencer	*nous commençons*	*avancer, forcer, lancer,*

34   Use of the present tense

Example	Explanation
*Les Parisiens **sortent** de plus en plus de Paris*	This is happening now
*D'habitude, je **passe** mes vacances à Biarritz*	A regularly repeated or habitual action
*J'**apprends** le français depuis cinq ans*	An action begun in the past continues into the present. Note use of *depuis*
*Son père **vient** de mourir*	The present of *venir* + *de* renders 'have just', 'has just' etc.

35   The imperative (*l'impératif*)

This form is used for giving instructions or orders. It is based on the *tu* and the *vous* forms of the present. The *nous* form of the verb is used to make suggestions ('Let's …')

Example	Explanation
Reste là!	The *tu* form drops *tu*, and *-er* verbs lose the *-s* in the written form
*Va le chercher! Mais **vas-y!***	The *tu* form of *aller* also loses its *-s*, except before y
Sois sage! N'aie pas peur!	Être and *avoir* have irregular *tu* forms
Restez là!	The *vous* form imperative merely drops *vous*
Soyez sages! N'ayez pas peur!	Être and *avoir* have irregular forms
Allons voir ce qui se passe	'Let's go and see …' The *nous* is dropped
Soyons conscients des dangers	Être and *avoir* have irregular *nous* forms: Avoir = *ayons* (rare)

36 Reflexive verbs (*les verbes réfléchis*)

Reflexive verbs require a pronoun object which agrees with the subject. This can show (1) that the subject does the action to itself (2) that plural subjects do the action to each other. Many verbs are reflexive in form (eg *s'agir*) but show no reflexive meaning.

Example	Explanation
Je me lave à la hâte	Lit. 'I wash **myself**'; cf *Je lave le bébé*
*Est-ce que **tu te** rends compte de cela?*	Here, the *te* is the IDO (*compte* is the DO)
*La voiture ralentit et **s'arrête***	'slows and **stops**'. The object pronoun has no equivalent in the English
*Cela ne **se** fait pas*	'That **isn't done**'. English uses a passive
*Nous **nous** téléphonons tous les jours*	This is reciprocal, i.e. each other
*Est-ce que **vous vous** sentez bien?*	The second *vous* is the DO
*Ils **se** connaissent bien*	This is reciprocal, i.e. each other
*Elles **se** disent des bêtises*	This is reciprocal, i.e. to each other

Reflexive verbs keep their pronouns in the usual place in negative imperatives (*Ne t'inquiète pas*). In positive imperatives, the pronouns are placed after the verb. Note the *tu* form.

Statement	Imperative
Tu t'amuses bien	*Amuse-toi bien!*
Nous nous en allons	*Allons-nous-en!*
Vous vous asseyez	*Asseyez-vous!*

37 The future tense (*le futur*)

For most verbs, the future tense is based on the infinitive. Verbs whose infinitive ends in *-re* drop the *-e* before endings are added. All verbs in the future tense share the same set of endings.

Regular verbs

Subject	*donner*	*finir*	*vendre*
je	*donnerai*	*finirai*	*vendrai*
tu	*donneras*	*finiras*	*vendras*
il, elle, on	*donnera*	*finira*	*vendra*
nous	*donnerons*	*finirons*	*vendrons*
vous	*donnerez*	*finirez*	*vendrez*
ils, elles	*donneront*	*finiront*	*vendront*

Irregular verbs

Some common irregular forms are as follows. Once the *je* form has been learned, all other forms follow the above pattern. For other irregulars, see the irregular verb tables, pages 169–171.

Infinitive	Future	Infinitive	Future
aller	*j'irai*	*faire*	*je ferai*
avoir	*j'aurai*	*pouvoir*	*je pourrai*
devoir	*je devrai*	*savoir*	*je saurai*
être	*je serai*	*vouloir*	*je voudrai*

38 Use of the future tense

Example	Explanation
L'année prochaine, j'irai en Suisse	Futurity expressed by future tense
Quand j'aurai le temps, je le ferai	A future follows *quand* or *lorsque*; cf 'When I have time' (present
(*Lorsque j'aurai le temps…*)	in English)
Si j'ai le temps, je le ferai	Main verb in future. Hypothesis (*si*) expressed by present tense
Dites-le-lui quand vous le verrez	The command suggests that the action will happen in the future

39 The conditional (*le conditionnel*)

This tense indicates what **would** happen if certain conditions obtained. Its forms closely resemble those of the future, with different endings (also used for the imperfect tense).

Subject	*donner*	*finir*	*vendre*
je	*donnerais*	*finirais*	*vendrais*
tu	*donnerais*	*finirais*	*vendrais*
il, elle, on	*donnerait*	*finirait*	*vendrait*
nous	*donnerions*	*finirions*	*vendrions*
vous	*donneriez*	*finiriez*	*vendriez*
ils, elles	*donneraient*	*finiraient*	*vendraient*

Irregular verbs follow the stem used for the future. Once the *je* form has been learned, all other forms follow the above pattern. For other irregulars, see the irregular verb tables, pages 169–171.

Infinitive	Conditional
aller	*j'irais*
avoir	*j'aurais*
devoir	*je devrais*
être	*je serais*

40 Use of the conditional

Example	Explanation
Il a dit qu'il le ferait	Reported speech version of *Je le ferai*
Je le ferais si j'avais le temps	What would happen, if … Note the use of the imperfect in *si* clause (see page 159, §42)
Pourriez-vous m'aider, s'il vous plaît?	The conditional adds a nuance of politeness
Tu devrais faire ça	The conditional of *devoir* = ought to

41   The imperfect tense (*l'imparfait*)

The forms of the imperfect tense are based on the *nous* form of the present tense. The stem is derived by dropping *-ons* and adding the endings used for the conditional. The only exception is *être*, which uses a different stem but the same endings.

Subject	*donner*	*finir*	*vendre*
je	*donnais*	*finissais*	*vendais*
tu	*donnais*	*finissais*	*vendais*
il, elle, on	*donnait*	*finissait*	*vendait*
nous	*donnions*	*finissions*	*vendions*
vous	*donniez*	*finissiez*	*vendiez*
ils, elles	*donnaient*	*finissaient*	*vendaient*

NB Être

Subject	*être*
j'	*étais*
tu	*étais*, etc

42   Use of the imperfect

Example	Explanation
Mon père était petit et costaud	This describes a state in the past
Nous allions tous les jours chez elle	A repeated action. 'We used to go'
Depuis quelques années ma mère apprenait l'espagnol	An action which started further back in the past and was still continuing. Note this use of *depuis*.
Si j'avais le temps je le ferais	When the main verb is conditional, the verb in the *si* clause is imperfect
Je venais de rentrer quand le téléphone a sonné	The imperfect of *venir de* + infinitive expresses 'had just' – I had just got in.

Compound (two word) tenses (*les temps composés*)

43   The perfect tense (*le passé composé*)

This tense consists of the present tense of one of the auxiliary verbs *avoir* and *être* plus the past participle. The past participle is formed as follows:

Infinitive	Past participle
donner	*donné*
finir	*fini*
vendre	*vendu*

Irregular verbs generally have irregular past participles. Some common examples are as follows. For other irregular verbs, see the irregular verb tables, pages 169–171.

Infinitive	Past participle
avoir	*eu*
devoir	*dû*
être	*été*
faire	*fait*
mettre	*mis*

44   Which auxiliary verb?

The vast majority of verbs take *avoir* as their auxiliary. The exceptions are all reflexive verbs and a small group of other verbs, most of which are verbs of motion.

45   Verbs taking *avoir*

Example	Explanation
J'ai donné mes clés à Philippe	The past participle follows the auxiliary
Je lui ai donné mes clés	Any pronouns precede the auxiliary
Anne a fini ce qu'elle faisait	The past participle does not agree with the subject, Anne

46   Preceding direct objects

In compound tenses, the past participle will agree in number and gender with a preceding direct object (PDO). This often happens when the direct object is a pronoun. The agreements are the same as adjective endings (see page 149, §15).

Example	Explanation
*Tu as vu Anne et Marie? Oui, je **les ai vues***	In the question the object follows the past participle. In the answer, it precedes, so there is agreement
*Vous avez donné **les documents** à Anne? Oui, je **les** lui ai **donnés***	The PDO in the answer causes agreement. The indirect object does not cause any agreement
***Quelles excuses** a-t-il **présentées**?*	*Il* is the subject. *Quelles excuses* is the PDO, and so causes agreement
***Combien de lettres** a-t-il **reçues**?*	*Combien de lettres* (feminine plural) is the PDO, and so causes agreement

47 Verbs taking *être*

1 Reflexive verbs

Reflexive verbs follow the rule of the PDO in compound tenses. The past participle (pp) agrees with the reflexive pronoun, if it is the direct object.

Example	Explanation
"Je me suis levée tôt," a dit Anne *Anne s'est levée à sept heures* *Les garçons se sont levés plus tard* *Anne et Philippe se sont couchés tard*	*Je* is feminine and so is *me*. The pp agrees with *me* *Se* (*s'*) refers to Anne and is therefore feminine. The pp agrees with it Masculine plural agreement with PDO In a mixed gender PDO, masculine takes precedence, hence *couchés*

If the reflexive verb uses an indirect object pronoun, there is no agreement on the past participle.

Example	Explanation
Anne s'est dit: "Il est sept heures." *Marie s'est cassé le bras* *Marie et Anne se sont téléphoné*	'Anne said to herself …' The pronoun is indirect The direct object is *le bras*. No agreement with indirect *se* (*s'*) In this reciprocal use, *se* is indirect since *téléphoner* uses *à*

2 Verbs of motion

The following verbs, mainly of motion, take **être** as their auxiliary. Those marked with an asterisk (*) may take *avoir* if they are followed by a direct object: *aller, arriver, descendre*, devenir, entrer*, monter*, mourir, naître, partir, passer*, rentrer*, rester, retourner*, sortir*, tomber, venir.*

Unlike other verbs, these verbs agree with their subject, and not the preceding direct object.

Example	Explanation
Anne est allée à Paris hier *Henri et Philippe sont arrivés* *Anne et Philippe sont partis* *Pierre est déjà revenu*	The subject is feminine, so pp adds *-e* Masculine plural, so *-s* agreement Mixed gender, so *-s* agreement Masculine singular; no extra agreement necessary

48 Use of the perfect tense

The perfect tense is used to express the fact that an action in the past is seen as completed. It thus corresponds to two English usages (1) I saw; (2) I have seen.

1 *Tu as vu Philippe? – Oui, je l'ai vu hier* (Yes, I saw him yesterday).
2 *Tu as vu Philippe? – Oui, je l'ai vu dans le jardin* (Yes, I've seen him in the garden).

49   The pluperfect tense (*le plus-que-parfait*)

This tense corresponds to 'I had given', 'I had finished', etc., and is formed with the imperfect of the auxiliary (*avoir* or *être*) and the past participle.

donner	*finir*	*vendre*
j'avais donné *il avait donné*	*j'avais fini* *il avait fini*	*j'avais vendu* *il avait vendu*

As in the perfect tense, reflexive verbs will agree with their PDO, and other verbs which take *être* with their subjects.

50   Use of the pluperfect

Example	Explanation
*Il **avait** déjà **fini** son travail*	Action completed prior to point of narrative
*Si nous **avions écouté** nos parents, nous ne serions pas dans cet embarras*	In the *si* clause, the pluperfect indicates a hypothesis in the past: 'If we had listened … we wouldn't be …'
*Si ces événements **ne s'étaient pas produits**, le système se serait écroulé*	In this example, the pluperfect in the *si* clause is followed by a conditional perfect in the main clause: '… the system would have collapsed'
*Il dit qu'il **avait fini***	Reported version of: *Il a dit "J'ai fini"*

51   The subjunctive mood (*le subjonctif*)

There are only two tenses of this mood in current use, the present and the perfect. With the exception of the verbs *avoir* and *être*, the endings for all verbs in the present tense of the subjunctive are as follows:

Subject	Ending	Subject	Ending
je	*-e*	*nous*	*-ions*
tu	*-es*	*vous*	*-iez*
il, elle, on	*-e*	*ils, elles*	*-ent*

There are four types of verbs in the subjunctive:
1   Those formed directly from the stem of the *ils* form of the present indicative, eg *ils arrivent* gives *j'arrive, tu arrives*, etc. This applies to regular *-er*, *-ir* and *-re* verbs, and to many irregulars.
2   Those with an irregular *je* form, from which all other forms follow. These are:

Infinitive	Subjunctive
faire	*je fasse*
pouvoir	*je puisse*
savoir	*je sache*

3   Those whose *nous* and *vous* forms resemble those of the imperfect indicative. See the irregular verb tables for: *aller, boire, croire, devoir, envoyer, mourir, prendre, venir, voir, vouloir*.
4   The verbs *avoir* and *être*, whose conjugation is completely irregular. See irregular verbs, pages 169–171.

52   Use of the subjunctive

The subjunctive is a particular set of forms for the verb. Unlike the indicative, the subjunctive does not express matters of fact. A speaker using the subjunctive may be expressing an attitude to an event, a judgement on it or a wish. Where the indicative is the mood of reality, the subjunctive is the mood of the possible or the unreal. Some of its uses are as follows:

Example	Other instances
After a conjunction of concession *Bien qu'il veuille sortir, il ne peut pas* = Although he wants …	*Quoique, encore que* = although
After a conjunction of time *Je dois lui parler **avant qu'**il ne parte* = … before he leaves	*après que* (spoken French) = after; *jusqu'à ce que* = until
After a conjunction of purpose *Je lui ai donné de l'argent **pour qu'**il puisse s'acheter à manger* = so that …	*afin que* = in order that; *de façon que, de manière que* = in such a way that
After a conjunction of condition ***Pourvu qu'**il soit là, tout ira bien* = Provided that he's there	*à condition que* = on condition that; *à moins que* (+ *ne*) = unless; *supposé que* = supposing that
After expressions indicating fear *Elle refusait de sortir **de peur qu'**on ne l'attaque* = for fear that (note *ne*)	*de crainte que* = for fear that; *avoir peur/crainte que* (+ *ne*) = to fear that
After expressions of possibility ***Il est possible que** vous puissiez le faire* = It's possible that you'll be able to do it	*il se peut que* = it may be that; *il est impossible que, il n'est pas possible que* = it's not possible that; *il arrive que* = it happens that
After expressions of necessity ***Il faut que** tu sois là* = It's necessary that you should be there	*il est nécessaire/essentiel/primordial que* = it's necessary that
After impersonal constructions ***Il est important que** Jeanne vienne* = It's important that Jeanne should come	*il vaut mieux que* = it's better that; *il est temps que* = it's time that
After verbs of wanting and wishing *Je **veux qu'**il fasse cela maintenant* = I want him to do it now	*aimer que; aimer mieux/préférer que; désirer que; souhaiter que; vouloir que*
After expressions of emotion *Je **suis étonnée que** mon mari ait fait ça* = I'm surprised that my husband did that	*regretter que* = to regret that; *être surpris que* = to be surprised that; *être content que* = to be pleased that; *avoir honte que* = to be ashamed that
After verbs of allowing, asking, forbidding, preventing ***Papa a défendu que** les enfants sortent* = Papa has forbidden the children to go out; ***Le gouvernement a ordonné que** les émeutes soient réprimées* = The government has ordered the riots to be put down	*demander que* = to ask that; *empêcher que* = to prevent (from); *exiger que* = to demand that; *interdire que* = to forbid; *insister pour que* = to insist; *permettre que* = to allow
In expressions of doubt *Je **doute que** ce soit vrai* = I doubt that this is true	*il est douteux que* = it's doubtful that; *il semble que* = it seems that; *nier que* = to deny that

53   The infinitive (*l'infinitif*)

The infinitive is the basic form of the verb, its 'name', and the part which means 'to do something'. It does not have a subject or change its endings. Uses of the infinitive are as follows:

Example	Explanation
Lire devient de plus en plus difficile pour la génération actuelle *Que faire?* *J'ai fait venir le médecin*	'Reading is becoming ...' The infinitive is used, not the present participle in examples of this type 'What are we/you to do?' 'I called the doctor', i.e. got the doctor to come. *Faire* gives a causative sense to the infinitive.

54   Government of the infinitive

Some verbs are followed directly by an infinitive. These include: *aimer, adorer, aller, désirer, devoir, espérer, faire, falloir, laisser, oser, pouvoir, préférer, savoir, vouloir*.
Example: *J'aime regarder les films en vidéo, mais je préfère aller au cinéma.*

Some verbs require *de* before an infinitive, others require *à*.
Example: *J'ai achevé de faire mon travail, et j'ai réussi à trouver la bonne solution.*

de + infinitive	*à* + infinitive
achever de – to finish	*apprendre à* – to learn
s'arrêter de – to stop	*s'attendre à* – to expect
avoir peur de – to be afraid	*chercher à* – to try
décider de – to decide	*s'habituer à* – to get used to
finir de – to finish	*hésiter à* – to hesitate
oublier de – to forget	*parvenir à* – to succeed
refuser de – to refuse	*réussir à* – to succeed
regretter de – to regret	*tenir à* – to insist on

Some verbs take a direct object followed by *de* + infinitive. These include:
accuser quelqu'un de, empêcher quelqu'un de, excuser quelqu'un de, persuader quelqu'un de, remercier quelqu'un de.
Example: *On a accusé le clochard d'avoir commis le vol* = The tramp was accused of commiting (i.e. having committed) the theft

Some verbs take an indirect object (with *à*) and *de* before the infinitive. These include:
conseiller à quelqu'un de, demander à qqn de, dire à qqn de, permettre à qqn de, promettre à qqn de, proposer à qqn de.
Example: *J'ai demandé à mon père de me reconduire à la gare.*

55 The present participle (*le participe présent*)

The present participle is formed from the *nous* form of the present by replacing *-ons* with *-ant*. The exceptions are *avoir* (*ayant*), *être* (*étant*) and *savoir* (*sachant*). The uses are as follows:

Example	Explanation
*Il parcourt la France, **allant** de Lille à Marseille, de Lyon à Rennes*	Describes an ongoing activity by the subject (going from Lille)
***En suivant** cette route, vous arriverez plus tôt*	This use with *en* expresses 'by …ing'
***En traversant** la route, il a été renversé*	This use with *en* expresses 'while …ing'
*Il n'y a pas d'eau **courante** ici*	Used as an adjective, the participle agrees with the noun
*La situation **se dégradant**, les troupes se sont retirées*	Here the present participle expresses cause ('As the situation was worsening')
*Je l'ai vu **descendant** la rue*	The participle replaces a relative clause (*qui descendait*)

56 Impersonal verbs (*les verbes impersonnels*)

These are verbs which are used only in the *il* form. They may be used in any tense.

Example	Explanation
Il pleut à verse	Many weather expressions; cf 'It's pouring'
Il y a bien des possibilités	'There is', 'there are'. Also: 'ago' – *Il y a un an*
Il vaut mieux attendre	'It's better to …' Also: *Mieux vaut*
Il s'agit de peser les pour et les contre	'It's a question of'
Il est possible/Il se peut qu'elle soit là	Expressions of possibility, cf *Il est probable que*

Adverbs (*les adverbes*)

57 Adverbs of manner (*les adverbes de manière*)

These are usually formed by adding *-ment* to the feminine of their corresponding adjective. The exception is adjectives ending in a vowel, eg *vrai* gives *vraiment*. Usually, *-ment* corresponds to *-ly* in English

Masculine adjective	Feminine adjective	Adverb
rapide – rapid	*rapide*	*rapidement*
discret – discreet	*discrète*	*discrètement*
heureux – happy	*heureuse*	*heureusement*
cruel – cruel	*cruelle*	*cruellement*
actif – active	*active*	*activement*

Some adverbs require *-é* before *-ment*:

Adjective	Adverb
aveugle – blind	*aveuglément* NB *l'aveuglement* = blindness
énorme – enormous	*énormément*

Similarly: *obscurément, profondément, précisément*

Adjectives ending in *-ant* and *-ent* change to *-amment* and *-emment* (Exceptions: *lent – lentement; présent – présentement*)

Adjective	Adverb
brillant – brilliant	*brillamment*
évident – evident, obvious	*évidemment*

Note these important exceptions to the general rules:

Adjective	Adverb
bref – brief	*brièvement*
gentil – kind	*gentiment*
gai – bright	*gaîment, gaiement*
bon – good	*bien* – well
meilleur – better	*mieux* – better
mauvais – bad	*mal* – badly
moindre – smaller	*moins* – less
pire – worse	*pis* – worse

58 Negation (*la négation*)

Negation is carried out by both adjectives and adverbs. Negatives are usually associated with *ne*. Some can stand alone: *Qu'est-ce que tu as vu? – Rien; Qui est venu? – Personne; Tu as visité l'Allemagne? – Non, jamais.*

Negative	Sense	In simple tenses	In compound tenses
ne… pas	not	*Je **ne** comprends **pas***	*Je **n'**ai **pas** compris*
ne… plus	no more, no longer, not again	*Je **ne** le vois **plus***	*Je **n'**y suis **plus** jamais retourné*
ne… jamais	never	*Je **ne** sors **jamais** le soir*	*Je **ne** suis **jamais** allé à l'étranger*
ne… rien	nothing	*Tu **ne** manges **rien?***	*Je **n'**ai **rien** mangé hier*
ne… aucun(e)	no … at all	*On **n'**a **aucune** notion du temps*	*Je **n'**ai eu **aucune** notion du temps*
ne… personne	nobody, no one	*Je **ne** vois **personne***	*Je **n'**ai vu **personne***
ne… que	only	*Il **n'**achète **que** des cigarettes*	*Il **n'**a acheté **que** des cigarettes*
ne… ni… ni…	neither … nor	*On **ne** ressent **ni** peur **ni** plaisir*	*Je **n'**ai vu **ni** Corinne **ni** Pierre*

In English, when negatives are strung together they contradict each other:
* 'I don't never buy nothing'. In French, they reinforce each other: *Je n'achète jamais rien.* If more than one negative is required the order is: *ne, plus, jamais, rien/personne, que, aucun, nulle part*

Example: *On ne trouvera plus jamais rien de ce genre-là.*

Note: When the infinitive is negated, both parts of the negation are placed before it:

Example: *J'ai décidé de ne pas rester là. En fait, je me suis résolu à ne plus jamais y retourner.*

Conjunctions (*les conjonctions*) and prepositions (*les prépositions*)

Conjunctions are invariable words or phrases which link two sections of a sentence, paragraph or text together. They may be co-ordinating or subordinating. Co-ordination is often found in descriptions, subordination in more logically ordered texts.

59 Co-ordinating conjunctions (*les conjonctions de coordination*)

These serve to link words, phrases, clauses or sentences, and fall into the following categories. Each section linked has equal status in the sentence.

Type	Conjunctions	Examples
Linking	*et, mais, ou, ni, puis, ensuite, comme, ainsi que, alors, bien plus, aussi bien que*	*Il a fait son discours, **puis** il est parti; Il leur a parlé, **mais** sans les convaincre*
Cause	*car, en effet, effectivement*	*On est parti sans la voir, **car** elle était absente*
Consequence	*donc, aussi, ainsi, par conséquent*	*On n'avait plus confiance en elle, **donc** elle a démissionné*
Transition	*or, donc*	*Le cambrioleur rentra; **or**, la police l'attendait*
Opposition, restriction	*mais, cependant, toutefois, pourtant, néanmoins, par contre, d'ailleurs, au moins*	*Le gouvernement peut présenter ses excuses, **mais** cette crise était inévitable*
Alternatives	*ou, soit… soit…, ou bien*	*Il y deux possibilités – **soit** on reste, **soit** on part*
Explanation	*à savoir, c'est-à-dire*	*La politique, **c'est-à-dire**, le pouvoir*

60 Subordinating conjunctions (*les conjonctions de subordination*)

These serve to link a subordinate clause to the clause on which it depends. They can therefore only link clause to clause. A subordinate clause cannot stand alone. Conjunctions marked with an asterisk (*) demand a verb in the subjunctive.

Type	Conjunctions	Examples
Cause	*comme, parce que, vu que, puisque, c'est que*	*Elle est sortie **parce qu**'elle avait besoin d'air*
Purpose	*afin que*, pour que*, de façon/manière que*, de sorte que**	*J'économise **pour que** nous ayons de l'argent*
Consequence	*que, de sorte que, de façon/manière que, si bien que, tellement… que*	*On a tout dépensé, **de sorte qu**'on est fauché*
Concession, opposition	*bien que*, quoique*, tandis que, alors que*	***Bien qu**'il soit malade, il insiste pour sortir*
Condition, supposition	*si, au cas où, pourvu que*, à condition que*, à moins que* (+ ne)*	***Pourvu qu**'il y ait suffisament de place, tout le monde viendra*
Time	*quand, lorsque, avant que*, après que, pendant que, depuis que, aussitôt que, jusqu'à ce que**	*Nous partirons **quand** il arrivera; s'il arrive **avant que** nous soyons prêts, offrez-lui à boire*
Comparison	*comme, de même que, ainsi que, plus que, moins que, comme si*	*Alain, **de même que** Jacqueline, est **plus** grand **que** son frère*

61 Prepositions (*les prépositions*)

Prepositions are invariable words whose function is to indicate position, or to link expressions together within a sentence. Some examples with some of their functions are listed below.

à	*Il vit à Paris*	position
	Il est prêt à partir	readiness
	commencer à, se mettre à	beginning
	à huit heures du matin	time
	s'éclairer à l'électricité	instrumentality
	réussir à, chercher à	between verb and infinitive
avec	*Il y est allé avec sa soeur*	'with', 'in the company of'
	Il a été tué avec un couteau	instrumentality
chez	*chez moi*	place
	chez les Français = among the French	figurative usage
dans	*dans le jardin*	position
	dans une heure = in an hour's time	time
de	*les amis de mon frère*	possession
	l'histoire de France	association
	Il est revenu de France	'from'
	envahi de productions étrangères	instrumentality, agency = by
	de temps en temps, de nos jours	time
	décider de, essayer de	between verb and infinitive
en	*en France; en Normandie; en ville*	position
	en 1997, en deux heures = within two hours	time
	en voiture, en bateau	means of transport
	un bonnet en laine	material
	en sortant = by/while going out	used with present participle
jusqu'à	*jusqu'à deux heures* = until two o'clock	time
	jusqu'à Paris = as far as Paris	place
	Ils ont tué jusqu'aux infirmières	'even'
par	*par les rues, par terre, par ici*	position
	par un beau jour = on a fine day	time
	Il a été tué par sa femme	agency in passive construction
	par le train, par avion	means of transport
pour	*C'est pour vous*	'for'
	Il l'a fait pour se faire remarquer	purpose (*pour* + infinitive)
	Nous y allons pour deux semaines	time (future)
	pour de bon	figurative usage
sous	*sous la table*	position
	sous quelque forme que se présente cette menace	figurative usage
sur	*sur la terre*	position
	une émission sur la politique	figurative usage
	trois sur quatre = three out of four	fractions

Irregular verbs (les verbes irréguliers)

In the following table of irregular verbs, note these conventions:

- The *tu* form of the verb is either the same as the *je* form, or may be deduced from regular principles (e.g. *je cueille*, therefore *tu cueilles*).
- Unless otherwise stated, the *vous* and *ils* forms follow on logically from the *nous* form.

Infinitive	Present	Perfect	Past Historic	Future/Conditional	Subjunctive	Similar verbs
acquérir (to acquire)	j'acquiers, il acquiert, nous acquérons, ils acquièrent	j'ai acquis	j'acquis	j'acquerrai/~ais	j'acquière, nous acquérions	conquérir, s'enquérir, requérir
aller (to go)	je vais, tu vas, il va, nous allons, vous allez, ils vont	je suis allé(e)	j'allai	j'irai/~ais	j'aille	
avoir (to have)	j'ai, tu as, il a, nous avons, vous avez, ils ont	j'ai eu	j'eus	j'aurai/~ais	j'aie, tu aies, il ait, nous ayons, vous ayez, ils aient	
s'asseoir (to sit down)	je m'assieds, il s'assied, nous nous asseyons	je me suis assis(e)	je m'assis	je m'assiérai/~ais	je m'asseye	
battre (to beat)	je bats, il bat, nous battons	j'ai battu	je battis	je battrai/~ais	je batte	abattre, combattre, débattre
boire (to drink)	je bois, il boit, nous buvons, ils boivent	j'ai bu	je bus	je boirai/~ais	je boive, nous buvions	
conduire (to drive)	je conduis, il conduit, nous conduisons	j'ai conduit	je conduisis	je conduirai/~ais	je conduise	construire, déduire, détruire, instruire
connaître (to know)	je connais, il connaît, nous connaissons	j'ai connu	je connus	je connaîtrai/~ais	je connaisse	reconnaître
courir (to run)	je cours, il court, nous courons	j'ai couru	je courus	je courrai/~ais	je coure	
craindre (to fear)	je crains, il craint, nous craignons	j'ai craint	je craignis	je craindrai/~ais	je craigne	
croire (to believe)	je crois, il croit, nous croyons, ils croient	j'ai cru	je crus	je croirai/~ais	je croie	
croître (to grow)	je croîs, il croît, nous croissons	j'ai crû	je crûs	je croîtrai/~ais	je croisse	(s') accroître
cueillir (to pick)	je cueille	j'ai cueilli	je cueillis	je cueillerai/~ais	je cueille	accueillir, recueillir
devoir (to have to)	je dois, il doit, nous devons, ils doivent	j'ai dû	je dus	je devrai/~ais	je doive, nous devions, ils doivent	

Infinitive	Present	Perfect	Past Historic	Future/Conditional	Subjunctive	Similar verbs
dire (to say, to tell)	je dis, il dit, nous disons, vous dites, ils disent	j'ai dit	je dis	je dirai/-ais	je dise	interdire
écrire (to write)	j'écris, il écrit, nous écrivons	j'ai écrit	j'écrivis	j'écrirai/-ais	j'écrive	décrire, inscrire
envoyer (to send)	j'envoie, nous envoyons, ils envoient	j'ai envoyé	j'envoyai	j'enverrai/-ais	j'envoie, nous envoyions	renvoyer
être (to be)	je suis, tu es, il est, nous sommes, vous êtes, ils sont	j'ai été	je fus	je serai/-ais	je sois, tu sois, il soit, nous soyons, vous soyez, ils soient	
faire (to make)	je fais, tu fais, il fait, nous faisons, vous faites, ils font	j'ai fait	je fis	je ferai/-ais	je fasse	
falloir (to be necessary)	il faut	il a fallu	il fallut	il faudra/-ait	il faille	
fuir (to flee)	je fuis, nous fuyons, ils fuient	j'ai fui	je fuis	je fuirai/-ais	je fuie	s'enfuir
lire (to read)	je lis, il lit, nous lisons	j'ai lu	je lus	je lirai/-ais	je lise	
mettre (to put)	je mets, il met, nous mettons	j'ai mis	je mis	je mettrai	je mette	admettre, permettre, promettre. soumettre
mourir (to die)	je meurs, il meurt, nous mourons, ils meurent	je suis mort(e)	je mourus	je mourrai/-ais	je meure, nous mourions	
mouvoir (to move)	je meus, il meut, nous mouvons, ils meuvent	j'ai mû	je mus	je mouvrai/-ais	je meuve, nous mouvions	émouvoir (pp ému) promouvoir (pp promu)
naître (to be born)	je nais, il naît, nous naissons	je suis né(e)	je naquis	je naîtrai/-ais	je naisse	renaître
plaire (to please)	je plais, il plaît, nous plaisons	j'ai plu	je plus	je plairai/-ais	je plaise	déplaire
pleuvoir (to rain)	il pleut	il a plu	il plut	il pleuvra/-ait	il pleuve	
pouvoir (to be able)	je peux, il peut, nous pouvons, ils peuvent	j'ai pu	je pus	je pourrai/-ais	je puisse	
prendre (to take)	je prends, il prend, nous prenons, vous prenez, ils prennent	j'ai pris	je pris	je prendrai/-ais	je prenne, nous prenions, ils prennent	apprendre, comprendre. surprendre

Infinitive	Present	Perfect	Past Historic	Future/Conditional	Subjunctive	Similar verbs
recevoir (to receive)	je reçois, il reçoit, nous recevons, ils reçoivent	j'ai reçu	je reçus	je recevrai/-ais	je reçoive, nous recevions	(s') apercevoir, concevoir, décevoir, percevoir
résoudre (to resolve)	je résous, il résout, nous résolvons	j'ai résolu	je résolus	je résoudrai/-ais	je résolve	absoudre (pp absous) dissoudre (pp dissous)
rire (to laugh)	je ris, il rit, nous rions	j'ai ri	je ris	je rirai/-ais	je rie	sourire
rompre (to break)	je romps, il rompt, nous rompons	j'ai rompu	je rompis	je romprai/ais	je rompe	corrompre interrompre
savoir (to know)	je sais, il sait, nous savons	j'ai su	je sus	je saurai/-ais	je sache	
suffire (to suffice, to be enough)	je suffis, il suffit, nous suffisons	j'ai suffi	je suffis	je suffirai/-ais	je suffise	
suivre (to follow)	je suis, tu suis, il suit, nous suivons	j'ai suivi	je suivis	je suivrai/-ais	je suive	poursuivre
se taire (to say nothing)	je me tais, il se tait, nous nous taisons	je me suis tu(e)	je me tus	je me tairai/-ais	je me taise	
tenir (to hold)	je tiens, il tient, nous tenons, ils tiennent	j'ai tenu	je tins	je tiendrai	je tienne	(s')abstenir, contenir, maintenir, retenir, soutenir
vaincre (to defeat)	je vaincs, tu vaincs, il vainc, nous vainquons	j'ai vaincu	je vainquis	je vaincrai	je vainque	convaincre
valoir (to be worth)	il vaut, ils valent	il a valu	il valut	il vaudra/-ait	il vaille	prévaloir, revaloir
venir (to come)	je viens, il vient, nous venons, ils viennent	je suis venu (e)	je vins	je viendrai/-ais	je vienne, nous venions	advenir, devenir, revenir, (se) souvenir
vivre (to live)	je vis, il vit, nous vivons	j'ai vécu	je vécus	je vivrai	je vive	revivre, survivre
voir (to see)	je vois, nous voyons, ils voient	j'ai vu	je vis	je verrai	je voie, nous voyions	entrevoir, pourvoir (fut. pourvoirai, past hist. pourvus) prévoir (fut. prévoirai), revoir
vouloir (to want)	je veux, il veut, nous voulons, ils veulent	j'ai voulu	je voulus	je voudrai/-ais	je veuille, nous voulions, ils veuillent	

Glossary

adj	adjectif*	*f*	féminin
adv	adverbe	*n*	nom
conj	conjonction	*pl*	pluriel
loc	locution	*prép*	préposition
m	masculin	*v*	verbe

* Adjectives are given in the masculine form only, except where attention is called to the feminine.

A

à condition de/que *conj*	provided that
à partir de *loc*	from, on the basis of
abstraction *(nf)* **de soi**	getting out of oneself
abuser de *v*	to abuse, take unfair advantage of
accidenté *adj*	hilly
accord *nm*	agreement
accorder *v*	to grant, give
accroché *adj*	holding on to
accuser *v*	to accuse, acknowledge
actualité *nf*	the present, what's happening
actuellement *adv*	at present, now
adhérent *nm*	player, member
ado (adolescent) *nm*	teenager
s'adonner à *v*	to take up, go in for
advienne, quoi qu'il *loc*	come what may
affaiblir *v*	to weaken
affaires *nf pl*	business
afficher *v*	to register
affirmation *nf*	statement
afin que *conj*	so that
agir *v*	to act
ailleurs *adv*	elsewhere
aînés *nm pl*	elders
ainsi	thus
aisé *adj*	well-off, rich
alimentation *nf*	food, diet
ambiance *nf*	atmosphere
amour *nm*	love
amoureux, -euse *adj*	in love
annuaire *nm*	directory
appel *nm*	appeal, call
apport *nm*	contribution
apprenti *nm*	apprentice
apprivoiser *v*	to tame, control
argumentaire *nm*	explanatory leaflet
arondissement *nm*	district
arriver à *v*	to succeed in
assister à *v*	to attend, be present at
atelier *nm*	workshop
atteindre *v*	to attain, reach
attente *nf*	expectation
au lieu de *loc*	instead of
au milieu de *loc*	in the middle of

aucun(e) *adj*	no, not a single
augmenter *v*	to increase
auparavant *adv*	previously
autant de *loc*	as many
autrefois, d' *loc*	in former times
avenir *nm*	the future
avis, à mon *loc*	in my opinion

B

baccalauréat (le bac) *nm*	A Level
baignade *nf*	bathing, swimming
baisse *nf*	decrease, drop
balance *nf*	scales
baliser *v*	to mark, signpost
basculer *v*	to undergo a dramatic change
besoin, en cas de *loc*	if need be
bienfaits *nm pl*	benefits
bouger *v*	to move, exercise
bougie *nf*	candle, spark-plug
bouleversement *nm*	revolution
bout de, venir à *loc*	to overcome
brevet *nm*	diploma, certificate
bricoler *v*	to do odd jobs, DIY
brimer *v*	to bully, to frustrate
bulle *nf*	bubble
but *nm*	goal, aim

C

cadre *nm*	middle manager
caillou *nm*	pebble
câlin *nm*	cuddle
caraïbe *adj*	Caribbean
cartonner *v*	to be successful (*slang*)
casanier, -ière *adj*	stay-at-home
cependant *conj*	however, meanwhile
cerveau *nm*	brain
chaîne *nf*	channel, station
changement *nm*	change
chaudronnerie *nf*	boiler-making
chômage *nm*	unemployment
chômeur *nm*	unemployed person
ci-joint *adj*	enclosed, attached
cocher *v*	to tick
cocotier *nm*	coconut palm
coffret *nm*	small box
cohérent *adj*	consistent
commande *nf*	order
commander *v*	to order
comportement *nm*	behaviour
comporter *v*	to consist of, include
compte, s'installer à son *loc*	to set up on one's own
concepteur *nm*	ideas-man, designer
condamner *v*	to condemn

confiant *adj*	confident
confier *v*	to confide
connaissance *nf*	acquaintance
conneries *nf pl*	stupid waste of time
consacrer *v*	to devote
constater *v*	to note
contrainte *nf*	problem, restriction
convaincre *v*	to convince, persuade
copieux, -euse *adj*	heavy, copious (meal)
corriger *v*	to correct
corvée (*nf***) de ménage**	household chore
coup, tenir le *loc*	to keep up
courant, mettre au *loc*	to inform
coût *nm*	cost
couvercle *nm*	lid
crachin *nm*	drizzle
créateur *nm*	creator
créneau *nm*	market
crise *nf*	crisis
critère *nm*	criterion
croisière *nf*	cruise
croissant *adj*	growing
croître *v*	to grow
croquis *nm*	sketch, diagram
se crisper *v*	to become tense
cueillette *nf*	picking, gathering, harvesting

d'ailleurs *conj*	moreover
d'ores et déjà *loc*	already
déclencher *v*	to start, set off
déconseiller *v*	to advise against
découpage *nm*	cutting out
découverte *nf*	discovery
découvrir *v*	to discover
décrocher *v*	to win, to pick up
défavorisé *adj*	deprived, poor
défi *nm*	challenge
définitivement *adv*	permanently
se défoncer *v*	to rush
délai *nm*	period
démarche *nf*	step, procedure
dépasser *v*	to go beyond, exceed
déplacement *nm*	transport
se déplacer *v*	to move about
déranger *v*	to upset
dès que possible	as soon as possible
désespérer *v*	to despair
dessus *nm*	top
détente *nf*	relaxation
devenir *v*	to become
différemment *adv*	differently
diplôme *nm*	degree
dirigeant *nm*	manager, boss
diriger *v*	to direct, control
disposer de *v*	to have available
divertissement *nm*	entertainment
domaine *nm*	area, field

dompter *v*	to tame, to control
don *nm*	gift
drogue *nf*	drug
droit *nm*	right
dur *adj*	hard, difficult
durée, de longue *loc*	long term
durer *v*	to last

écart (*nm***), faire un** *loc*	to do something different
échanger *v*	to exchange
échec *nm*	failure
édicter *v*	to lay down (laws, rules)
effectivement *adv*	in fact, indeed
effectuer *v*	to carry out
élever *v*	to bring up
éloigné *adj*	distant, separate
embauche *nf*	job-opportunity, recruitment
embaucher *v*	to recruit
empêcher *v*	to prevent
emploi *nm*	job
en cours de *loc*	during
en dehors de *loc*	outside, except
encaisser *v*	to stand up to
s'endimancher *v*	to put on one's Sunday best
endormi *adj*	asleep
endroit *nm*	place
énerver *v*	to annoy, upset
s'engager *v*	to commit oneself
enjeu *nm*	issue, problem
s'enquérir de *v*	to enquire about
enrichissant *adj*	enriching
ensemble *adv*	together
entraîner *v*	to result in
entreprise *nf*	firm, enterprise
entretien *nm*	i) maintenance
	ii) conversation
envers *prép*	towards
envie de, avoir *v*	to feel like
épargner *v*	to spare, save
époque *nf*	time, era
espace *nm*	space, period
espérance *nf*	hope
essai *nm*	try, trial session
essayer de *v*	to try to
s'essouffler *v*	to get out of breath
établissement *nm*	firm, company
étape *nf*	stage, step
s'éterniser *v*	to drag on
étiquette *nf*	label
études *nf*	studies
éventuellement *adv*	possibly
éviter *v*	to avoid
évoquer *v*	to conjure up
exercer *v*	to exert
exposition *nf*	exhibition
exprimer *v*	to express

fabrication *nf* — manufacture
façon *nf* — way, manner
falloir *v* — to be necessary
farniente *nm* — doing nothing
fatal *adj* — inevitable
fauteuil roulant *nm* — wheelchair
feu vert, donner le *loc* — to give the go-ahead
fichier *nm* — index, file
fier, -ère *adj* — proud
se fier à *v* — to trust
filière *nf* — path, route
financier, -ère *adj* — financial
fleurir *v* — to flourish
focaliser sur *loc* — to focus on
fonction de, en *loc* — according to, on the basis of
forcément *adv* — necessarily
formation *nf* — training
formule *nf* — formula, expression
fou (fol, folle) *adj* — mad
fournir *v* — to provide
fous, je m'en *loc* — I couldn't care less (*vulg.*)
foyer familial *nm* — home
fuir *v* — to run away, flee
fusée *nf* — rocket

galère *nf* — ordeal, business
gamme *nf* — range
généraliste *nm/f* — general practitioner
genre *nm* — type, gender
gens *nm pl* — people
gérer *v* — to manage
gestion *nf* — management
gourmand *adj* — greedy
graisse *nf* — fat
gras *nm* — fat
gras, à caractère *loc* — in bold letters
gratuit *adj* — free
gravir *v* — to climb
grimper *v* — to climb

habits *nm pl* — clothes
habituellement *adv* — usually
hausse* *nf* — rise, increase
hébergement *nm* — accommodation
heureux, -euse *adj* — happy, fortunate
horaire *nm* — timetable, hours of work
humeur, de bonne *loc* — in a good mood

* **h** *aspiré*

impérativement *adv* — absolutely
impôts *nm pl* — taxes
improviste, à l' *loc* — unexpectedly
incendie *nm* — fire
inconditionnel *nm* — addict, real fan
incontestable *adj* — undeniable
indications *nf pl* — information
indispensable *adj* — essential
inoubliable *adj* — unforgettable
insupportable *adj* — unbearable, intolerable
intégrer *v* — to join
interne *nm/f* — houseman
interrompre *v* — to interrupt
intituler *v* — to entitle

joie *nf* — joy
jour férié *nm* — public holiday, festival

lâcher *v* — to drop, let go
se lancer *v* — to throw oneself
lessive *nf* — washing
liaison *nf* — relationship
licenciement *nm* — redundancy
licencier *v* — to make redundant, sack
lien *nm* — link, bond
livraison *nf* — delivery
livrer *v* — to deliver
loi *nf* — law
longueur *nf* — length
lors de *adv* — at the time of
lycée *nm* — college (Years 11–13)

mailing *nm* — mail-shot
majorer *v* — to increase
mal, avoir du *loc* — to have difficulty
malgré *prép* — in spite of, despite
malheureusement *adv* — unfortunately
malheureux, -euse *adj* — unhappy, unfortunate
matière *nf* — school subject
mec *nm* — bloke
se méfier de *v* — to distrust
menace *nf* — threat
merveilleux, -euse *adj* — marvellous
mésentente *nf* — misunderstanding, disagreement
mesure de, être en *loc* — to be able to
métier *nm* — job, profession
milieu *nm* — social class/environment

moins *adv* que	less than
moite *adj*	moist
monoparental *adj*	having one parent
montée *nf*	rise, increase
motif *nm*	motive, reason
moyen *nm*	means

navette, faire la *loc*	to shuttle, to commute
niveau *nm*	level
niveau de, au *loc*	as regards
nombre *nm*	number
notamment *adv*	in particular

obéir à *v*	to obey
obéissance *nf*	obedience
occasion *nf*	opportunity
onirique *adj*	dream-like
ordinateur *nm*	computer
oser *v*	to dare
outil *nm*	tool, means

pantin *nm*	puppet
pantouflard(e) *adj*	stay-at-home
paraître *v*	to appear
pareil, -eille *adj*	the same
paroi *nf*	wall, rock-face
parole *nf*	word
partager *v*	to share
partie de, faire *loc*	to belong to, be part of
partout *adv*	everywhere
parvenir à *v*	to succeed in
parvenir, faire *loc*	to send
passage, être de *loc*	to be passing through
se passer *v*	to happen
pause-café *nf*	coffee break
payant(e) *adj*	to be paid for
peinture *nf*	painting
perçant(e) *adj*	piercing
permission de minuit *nf*	being allowed out until midnight
pire *adj*	worse
plain pied, de *loc*	straight into
se plaindre *v*	to complain
planer *v*	to float, drift
plaquette *nf*	prospectus
pleurer *v*	to cry
point (*nm*) de repère	landmark, point of reference
point, à quel *loc*	to what extent
pollué(e) *adj*	polluted
postuler *v*	to apply (for)

pourtant *adv*	however
pouvoirs (*nm pl*) publics	authorities
pratiquant *nm*	player, participant
précédemment *adv*	previously
précisions *nf pl*	details
presqu'île *nf*	peninsula
prêt(e) *adj*	ready
preuves (*nf pl*), faire ses *loc*	to prove oneself
prévoir *v*	to plan
prise (*nf*) de courant	electric plug
prisé(e) *adj*	valued, popular
privilégier *v*	to concentrate on
produit *nm*	product
profiter de *v*	to take advantage of
profond(e) *adj*	deep, serious
profondeur *nf*	depth
projet *nm*	plan
promouvoir *v*	to promote
proposer *v*	to offer
protecteur, protectrice *adj*	protective
protéger *v*	to protect
proviseur *nm*	principal (of college)

quand même *loc*	even so, nevertheless
quatre-pièces *nm*	four-roomed flat
quotidien, -ienne *adj*	daily
quotidiennement *adv*	every day

raconter *v*	to tell, relate
raffermir, se *v*	to firm up
rancune *nf*	rancour, bitterness
randonnée *nf*	walking, rambling
rapport *nm*	relationship
rassembler *v*	to gather
ravitaillement *nm*	refreshment
réagir sur *v*	to react to
rechigner *v*	to moan, protest
reconduire *v*	to accompany, drive
recueil *nm*	collection
redevance (*nf*), de télévision	TV licence
reformuler *v*	to rewrite
régression *nf*	decrease
rejoindre *v*	to join
se réjouir de *v*	to look forward to
relais (*nm*), prendre le *loc*	to take over
relever *v*	to pick out
rembourser *v*	to repay
remercier *v*	to thank
remise *nf*	discount
remplir *v*	to fill
rencontrer *v*	to meet, encounter
renfort *nm*	reinforcement, back-up
répartir *v*	divide up

reportage *nm* — report, account
reporter *v* — to put off, postpone
repousser *v* — to delay
reprocher *v* — to blame
résoudre *v* — to resolve
respirer *v* — to breathe
ressembler à *v* — to resemble
ressentiment *nm* — resentment
ressentir *v* — to feel
se restreindre à *v* — to be limited to
se réunir *v* — to gather, meet up
réussi(e) *adj* — successful
réussir *v* — to succeed, pass (exam)
revanche, en *loc* — on the other hand
rêve *nm* — dream
révéler *v* — to reveal
ricaner *v* — to laugh cynically, to cackle

saborder *v* — to sabotage
savoir, faire *loc* — to inform, indicate
secouer *v* — to shake
secours *nm* — help
secteur *nm* — sector, industry
séduire *v* — to seduce, attract
sélectionner *v* — to select
selon *prép* — according to
semblable *adj* — similar
sembler *v* — to seem
sens *nm* — i) sense ii) direction
sensible *adj* — i) sensitive ii) noticeable
sentier *nm* — path
sentiment *nm* — feeling
se sentir *v* — to feel
serre *nf* — greenhouse
service *nm* — department
soit... soit... *conj* — either ... or ...
sondage *nm* — survey, poll
souffler *v* — i) to blow (out) ii) to breathe
spectateur *nm* — viewer
sports collectifs *nm pl* — team sports
stage *nm* — course, work experience
suffisamment *adv* — sufficiently, enough
suite *nf* — continuation
suivant *prép* — according to
supprimer *v* — to suppress, cut (jobs)
sur-mesure *nm* — made-to-measure (programmes)
surtout *adv* — especially, above all
survie *nf* — survival
synonyme *nm* — synonym
synonymique *adj* — having the same meaning

tableau *nm* — table
se taire *v* — to keep quiet
tas *nm* — pile, quantity
télécopie *nf* — fax
tellement de *loc* — so many
temporel, -elle *adj* — concerning time
tenir à *loc* — to be keen to
tenter *v* — to tempt, attempt
terminaison *nf* — ending
tiers-arbitre *nm* — impartial judge
toit *nm* — roof, home
toutefois *adv* — however
tract *nm* — leaflet
traduire *v* — to translate
tranche horaire *nf* — period
trancher *v* — to decide
tri (*nm*), faire le *loc* — to sort
tributaire de *adj* — dependent on
trimestre *nm* — term
triste *adj* — sad
tristesse *nf* — sadness
trous (*nm*) de mémoire — memory loss

usine *nf* — factory
utile *adj* — useful
utiliser *v* — to use

vanter *v* — to boast of
veiller à *v* — to ensure
vendanges *nf pl* — grape-harvest
vérifier *v* — to check
vie *nf* — life
virée *nf* — trip, excursion
virement (*nm*) bancaire — bank transfer
viser *v* — to aim at
vivre *v* — to live, experience
voilier *nm* — sailing boat
VTT (vélo tous terrains) *nm* — mountain-bike, mountain-biking